D1551099

Les Éditions du Boréal
4447, rue Saint-Denis
Montréal (Québec) H2J 2L2
www.editionsboreal.qc.ca

DES NOUVELLES
D'AMIS TRÈS CHERS

La Belle Épouvante, roman, Éditions Quinze, 1980 ; Éditions Julliard, 1981. Prix Robert-Cliche.

Le Dernier Été des Indiens, roman, Éditions du Seuil, 1982. Prix Jean-Macé.

Une belle journée d'avance, roman, Éditions du Seuil, 1986. Prix Québec-Paris.

Le Fou du père, roman, Éditions du Boréal, 1988. Grand Prix du livre de Montréal.

Le Diable en personne, roman, Éditions du Seuil, 1989.

Baie de feu, poésie, Éditions des Forges, 1991.

L'Ogre de Grand Remous, roman, Éditions du Seuil, 1992.

Sept lacs plus au nord, roman, Éditions du Seuil, 1993.

Le Petit Aigle à tête blanche, roman, Éditions du Seuil, 1994. Prix du Gouverneur général, 1994 ; prix France-Québec, 1995.

Où vont les sizerins flammés en été ?, histoires, Éditions du Boréal, 1996.

Le Monde sur le flanc de la truite, notes sur l'art de voir, de lire et d'écrire, Éditions du Boréal, 1997.

Le Vacarmeur, notes sur l'art de voir, de lire et d'écrire, Éditions du Boréal, 1999.

Le Vaste Monde. Scènes d'enfance, nouvelles, Éditions du Seuil, 1999.

Robert Lalonde

DES NOUVELLES D'AMIS TRÈS CHERS

histoires

Boréal

Les Éditions du Boréal remercient le Conseil des Arts du Canada ainsi que
le ministère du Patrimoine canadien et la SODEC pour leur soutien financier.

Diffusion au Canada : Dimedia
Diffusion et distribution en Europe : Les Éditions du Seuil

Données de catalogage avant publication (Canada)

    Lalonde, Robert

    Des nouvelles d'amis très chers

    ISBN 2-7646-0006-2

    I. Titre.

PS8573.A383N68   1999   C843'.54   C99-941616-2
PS9573.A383N68   1999
PQ3919.2.L34N68   1999

Avant-propos

Mes oreilles se sont dépliées bien avant que ne se déroule ma langue. Quand je dis mes oreilles, il faut entendre aussi mes yeux, bien sûr. Même si je sais bien — je ne suis pas fou — que les yeux s'ouvrent, ils ne se déplient pas. C'est que je ne m'embusquais jamais, pour épier le monde et mes proches, autrement qu'avec un livre, qui parlait souvent plus fort qu'eux. Tant et si bien que certaines voix me devinrent peu à peu plus familières, plus réelles, plus justes et surtout plus vraisemblables que toutes les voix aimées depuis mon commencement sur la terre, et même que la mienne propre. Ce timbre, qu'on dit naturel, et qui est censé nous appartenir comme le chant à l'oiseau, a mis un temps fou à me ressembler — tout au moins à me convenir.

J'ai si longtemps souhaité devenir l'un d'eux, l'une d'elle, comme par magie — une magie que je savais impraticable et surtout dangereuse —, que je me suis mis, un beau jour, à les imiter, c'est-à-dire à les copier, époustouflé par cette facile sincérité qui enfin coulait de ma plume comme l'eau du robinet.

Quand on aime, il est assez facile de se mettre à la place de l'autre. Pour peu, évidemment, que l'autre vous laisse vous y mettre. Mais l'autre, si proche qu'il parût, était loin, et donc ne pouvait pas me repousser d'une bonne tape — que souvent j'ai dû mériter.

Les neuf histoires qui suivent ne sont ni des décalques, ni des pastiches, ni même vraiment des contrefaçons (certaines ne plagient pas les voix inoubliables, mais leur répondent, comme des échos), tout en étant du copiage, bien sûr, ou si vous voulez — et j'aime bien voir la chose comme ça — du « piratage par amour ».

Le plus beau dans tout ça, le plus surprenant — j'aurais pu, évidemment, m'y attendre —, c'est que pillant à tour de bras je me suis vu retomber dans les sillons de ma calligraphie à moi, ce fameux timbre « naturel », qui est peut-être fait de bien plus de chants qu'on pense. Chemin faisant — car rien ne saurait arrêter le pilleur ravi ! —, je découvris, avec une joie quasiment surnaturelle, comment travaillait celui-ci, besognait celle-là, bûchait cet autre, virgulait et adjectivait cet autre encore, et crus même apercevoir le paysage qui tremblait dans la fenêtre de l'un, ou ventait dans celle de l'autre, pendant qu'il ou elle écrivait. À tel point que je fus souvent bien étonné de déposer ma plume, une fois l'histoire achevée, dans un présent absolument personnel et inimitable, où m'attendaient des occupations de revenant, pour lesquelles il me semblait que je n'étais pas né.

Le danger, c'était là qu'il se cachait, dans la nostalgie. Je passai doucement, naturellement, du désir d'être à celui d'avoir été, et endurai le martyre, parfois le bonheur, de revenir à ce temps d'aujourd'hui, qui n'enchante ni ne surprend apparemment plus personne. Mais j'étais allé là où je voulais tant me rendre : chez eux ! C'était là tout ce qui comptait pour moi, et puis ça finissait là !

J'ai parsemé ici et là mes histoires de certaines de leurs phrases, aimées jusqu'au vertige, qui ont donné le coup d'envoi, non seulement à ces nouvelles, mais à beaucoup de mes ouvrages précédents. En toute dernière page, histoire de ne pas me révéler trop tôt et ainsi de gâcher le plaisir au lecteur qui aimera peut-être les détrousser, je précise d'où sont tirées les locutions très chères.

Ce qui va suivre est donc de moi, revenant de chez eux. Ce sont tout simplement des nouvelles fraîches de vieux amis. Deux d'entre eux sont toujours vivants, et bien vivants ! Quant aux autres, ils ne sont pas partis bien loin.

Toine et Fred

Son plus grand malheur aurait été que l'Aîné ne fasse pas attention à lui. Mais l'Aîné faisait attention à lui. Il ne faisait même attention qu'à lui.

Jean Giono, *Deux cavaliers de l'orage*

Le vent était lourd comme de l'eau dans laquelle des hordes de chevaux auraient marché. De gros nuages roulaient sur l'herbe, couleur d'aubergine, auréolés de ce feston d'or très fin qui encercle la tête des saints martyrs aux vitraux des cathédrales. D'une minute à l'autre, le ciel allait s'ouvrir et lâcher sur la plaine, sur les arbres tordus et sur les deux cavaliers qui grimpaient au petit trot la colline, des trombes de pluie gelée, peut-être même des grêlons, plus gros et plus mauvais que des poings d'enfant enragé.

— Suis-moi !

C'était le plus grand qui venait de crier, celui dont le chapeau tenait encore sur sa tête et qui fouettait la croupe de son cheval à tour de bras. L'autre, le plus petit, traînait derrière, tête nue, la tignasse aussi échevelée que la crinière de sa jument. Lui ne frappait pas sa monture mais turlutait, penché sur la grosse tête de sa bête, une drôle de chanson sans air que le vent aussitôt emportait. Il se tenait tout mou et ballant sur sa selle. Ça se voyait qu'il était soûl, et que l'autre venait tout juste de l'arracher aux extravagances d'une fête de village qui tirait à sa fin.

— Attends-moi !

On aurait dit qu'il n'espérait même pas être entendu, tant il n'avait mis qu'une toute petite force de chardonneret, ou de fauvette, dans le piaillement qu'il venait de jeter au vent comme du bois dans le feu. Et puis il se remit à chantonner, à demi couché sur son cheval qui le balançait comme un sac bourré de grain, ou de paille mouillée.

Le premier éclair fendit le ciel en silence. Ce fut une grosse branche de feu blanc, éclaboussant les nuages, les arbres et les rochers, qui à présent étaient violets, immobiles et menaçants. La colline attendait, noire, impassible. On aurait dit que quelque chose d'autre, quelque chose de plus fracassant et de plus dangereux encore que l'orage, se préparait. Cette tranquillité-là, cet apaisement extraordinaire, cette fausse sérénité des arbres, de l'herbe et du monde, cette paix de nuit de la forêt, trompeuse comme un contentement aperçu en songe, faisait peur.

L'aîné dégringola de son cheval alors qu'il trottait encore et courut dans l'herbe, où il disparut complètement, à part le chapeau qui sembla flotter, comme un petit bateau de papier sur la mer de carton d'un théâtre de marionnettes. Un deuxième éclair égratigna le ciel et resta suspendu comme une lampe, si bien que le cadet, encore loin derrière, au pied de la colline, put suivre la galopade du chapeau sur les vagues de foin noir. Le cheval s'était arrêté à mi-pente et broutait le trèfle sucré. On ne voyait que sa croupe pâle, la selle pâle et la poche pâle du sac de cuir accroché au pommeau. Le cadet sauta à terre au moment où éclatait le premier coup de tonnerre. Il ne se releva pas, comme si c'était sur lui que la foudre était tombée.

— Toine!

L'autre était grimpé sur un rocher. Les mains en porte-voix, il hurlait, mais pour rien : le vent n'avait pas repris et le son voyageait aussi vite que l'éclair dans le ciel. Le cadet éclata de rire et se mit à genoux. Il sembla prier en riant, un bon moment, la chemise déboutonnée, un filet de bave au menton, indifférent au tonnerre, aux éclairs, comme aux appels de son frère.

— Dépêche-toi!

Il se releva, en riant toujours. La jument fendit molle-ment l'herbe jusqu'à lui, avança amoureusement la tête et se frotta contre son épaule. Alors, sans s'arrêter de rire, il s'agrippa au cou de la bête, sembla lutter un moment avec elle, puis chuta encore dans l'herbe, où il recommença à rire si fort que la jument hennit, comme pour s'esclaffer avec lui.

— Toine! Maudit fou!

Le cadet cessa de rire, releva la tête mais n'aperçut pas son frère, qui avait sauté du rocher et courait dans la far-doche, en direction d'un abri de grosses planches, adossé à la muraille de roche. À l'instant précis où couina la porte de la cabane, une grosse lueur rousse déchira le ciel, suivie d'une détonation d'enfer, puis d'un craquement sec, et aussitôt le grand pin s'enflamma comme une torche, au-dessus de l'abri. Le cadet regarda béatement grossir le brasier, tout seul dans l'infini flot d'herbe noire. Les deux chevaux avaient détalé, il ne savait où. Il ne les avait pas vus, pas entendus. Il n'avait aperçu, et n'apercevait encore que le feu, un crépitement de comète, cramoisi et jaune tournesol, nourri, gras, palpitant, formidable. Une voix — sans doute la sienne, mais il n'en était pas sûr — murmurait, au fond de lui :

— J'étais heureux avec lui. Je sais pas pourquoi. Quand on est si heureux, on devrait pas avoir peur. Mais moi, beau sans-dessein, j'ai jamais eu peur…

Maintenant, il avait peur, une peur extraordinaire. Il avait peur de perdre Fred. Il avait peur de rester tout seul dans l'herbe de nuit, sur la colline en feu, tout seul dans un monde effrayant, un monde vide, un monde où Fred n'était plus. Il pensa : « Tout ce que j'ai fait de beau, de bon, de drôle, c'est avec lui ! Écouter la pluie, pêcher sous les saules, fendre le bois, rentrer les vaches, et même me battre au sang, rouler dans l'herbe, crier contre son cou, supplier qu'il ne m'étrangle pas : tout ça, c'était ma vie, notre vie, et j'étais content… »

Il se mit à courir dans les grandes herbes, au moment où les premières gouttes s'écrasaient sur les feuilles, dans un grésillement de sauterelles dégringolant des nuages. Il enfonça un pied dans la gueule d'un terrier, plongea, puis se releva, puis replongea, puis se releva encore, en poussant un grand cri de perdu en forêt :

— Fred !

Là-bas, les flammes menaient grand train, tourbillonnant et sifflant au-dessus de la cabane, telle une cataracte d'eau embrasée, un gigantesque remous bouillonnant d'étincelles, de lueurs violettes, de feux follets pétillants et d'une épaisse fumée blondasse comme de la poussière de sable. « C'est la fin, c'est l'emmêlement de tous les chemins… » Il mordait l'air, le mâchait comme une feuille de rhubarbe, sentait couler dans son cou un jus amer qu'il avalait malgré lui et qui lui soulevait le cœur. Une rafale de vent brûlant charroya jusqu'à lui un fumet de résine bouillie, et aussi une autre senteur, écœurante celle-là, à la fois ferreuse et douceâtre, celle du sang qui cuit.

— Fred !…

Il avançait comme on marche dans l'eau, ou comme on se dépêche en songe, à grandes enjambées qui ne vous rapprochent pas mais vous éloignent de l'éclaircie vers laquelle vous vous hâtez, en sachant que, quoi que vous fassiez, vous arriverez beaucoup trop tard. L'averse lui fouettait la face, les bras, la poitrine. Toute sa chair, toute sa peau haïssaient mortellement l'étoffe collante de sa chemise, le drap lourd et poisseux de sa culotte, et il bondissait dans l'herbe en tirant sur ses habits, comme si eux aussi étaient en feu. À mesure que tombaient de lui, comme les écailles du serpent qui mue, ses vêtements en lambeaux, il se sentait devenir ce loup efflanqué et mauvais, ce lynx aux poils durs et lustrés, cette couleuvre glissante, plus rapide que l'éclair dans le ciel, cette bête invincible et désespérée, tumescente de nerfs et que tiraient l'amour et la mort, attelés ensemble à la foudre et au tonnerre.

Le sang est le plus beau théâtre. On aime, on souffre, on se réjouit, on a peur, on se met à tout moment à la place de l'autre. On est orgueilleux de sa beauté, de sa force. Il n'y a pas de mal qui vienne de l'autre dont on ne prend pas l'habitude. À huit ans, il avait gravé au couteau de chasse, dans la chair lisse, fraîchement écorcée du bouleau : « Antoine aime Fred », et aussi un grand cœur transpercé, qui saigna blanc et sucré sur ses doigts. Dans les lignes de sa main, ce sang-là avait fait des figures, que rien, jamais, n'avait pu effacer. Chaque jour, il s'était servi de ce cœur-là, comme de sa main ou de son bras, et jamais le cœur ne s'était étouffé. À présent, il courait, seul, comme un cheval qui ne porte plus personne. Le feu est toujours pareil, une fois allumé. L'incendie, voilà ce qui réjouissait sa tête, voilà ce qui le faisait foncer dans la broussaille. Parce que l'incendie éclaire. Voilà la triste vérité. Qu'est-ce qu'il y a dans l'homme ? Il y a la tête et il y a le corps. Et qu'est-ce qui réjouit le corps ? C'est l'amitié. On voit des choses extraordinaires dans le sang. On voit surtout qu'il n'y a pas de solitude, que l'univers n'est pas une louve hostile qui vit seule et libre, une bête aux dents cruelles. Cette joie d'entrer avec lui dans l'herbe jusqu'au ventre, ce grand appétit de la nuit, quand la lumière de la lune jouait toute seule sur leurs épaules et que Fred le serrait contre sa poitrine, en ronflant comme un gros faucon qui mange de la viande. Alors un alanguissement le prenait, beaucoup plus grand que le sommeil. Alors le corps était bien obligé d'admettre que le plus important, pour lui, c'était de se laisser tomber dans cet abîme de lumière qui s'ouvrait. Et que c'était ça, et seulement ça, qui le contenterait.

— Fred !

Le feu seul lui répondit, le chuintement de ce gros dragon pendu aux branches et qui crachait mille flammes. Il savait qu'il aurait beau se dépêcher, se tuer, se fendre en quatre, il serait le seul à saigner. Tout le whisky qu'il avait bu au village, dans cette auberge où Fred était venu le chercher, l'arrachant de son tabouret comme on déracine une mauvaise herbe, chardon ou chiendent, et le tirant par la queue du manteau jusque dans la ruelle, le hissant comme une poche de grain sur sa jument, tout ce whisky-là, qui l'avait si bêtement soûlé, l'avait fait rire aux larmes et l'avait si cruellement séparé de son frère, tout ce whisky-là ne servait plus à rien. Il ne riait plus, ne voyait plus d'anges ni de filles ni de clowns sur les planches de son théâtre. Il ne voyait que du sang, le sang de son frère. « Venez voir ce sang, approchez, voyez comme ce sang coule, fait des ruisseaux, des rivières ! » Voilà ce qu'il aurait dû hurler à ses compagnons de soûlerie, à ces hommes qui avaient ri avec lui, de tout et surtout de rien, à ces étrangers qui l'écoutaient comme les savants le petit Jésus au Temple, à ces imbéciles qui ne comptaient pas, n'avaient jamais compté pour lui, même au plus chaud de la rigolade.

— Fred, chu là !

Il atteignit la porte de la cabane juste comme le vent reprenait. Une gerbe d'étincelles lui dégringola sur l'épaule, mais il ne sentit pas la brûlure. Il s'acharnait sur la porte qui avait dû se coincer sous l'effet de la grosse chaleur et qui était toute noire, comme le portail d'un tombeau. On aurait dit que la pluie faisait comme de l'huile sur le feu. De gros paquets de flammes dévoraient les planches du toit. Soudain, il eut un choc mou dans les bras. La porte cédait, et pourtant il n'avait pas tiré — il allait justement reprendre son élan. Il recula. Une brassée d'aiguilles incandescentes tomba en tourbillonnant entre lui et la maudite porte, qui s'était ouverte toute seule sur une nébuleuse de boucane noire, mouchetée d'escarbilles luminescentes. Toine recula encore et son dos s'écorcha contre le rocher derrière lui. L'égratignure lui fit du bien. La douleur le sortit de ce rêve qui durait, et où il n'en finissait pas de dessoûler. Il se rendit compte qu'il pleurait parce que l'eau qui coulait sur son visage était tiède, tandis que celle qui ruisselait sur ses épaules, ses bras, son dos où la peau était à vif, le glaçait comme une cataracte de montagne. Il frissonna, puis il eut l'air de rire encore. Ses épaules tressautèrent et il se lamenta sur un air qui rappelait la chanson de tout à l'heure, sur le cheval.

Il s'arrêta net de trembler, de gémir et même de respirer, quand le fantôme de son frère apparut dans la fumée. Il était nu, lui aussi, et rouge. Il était de glace et de braise. Il flambait, il rutilait. Il paraissait plein de gestes morts et pourtant victorieux. Il était un défunt extraordinairement vivant, avec du sang sur son front, sur sa poitrine, où l'écoulement serpentait dans les poils noirs. Et il ouvrait de grands yeux très pâles, où jouaient des lueurs de tendresse et de détestation magnifiques.

Alors Toine se jeta contre lui, frotta sa tête de chien mouillé contre la poitrine de Fred. Il entendit des coups furieux et sourds. Ce n'était ni le feu ni l'orage, mais le cœur, le cœur vivant de son frère. Il le ceintura de ses deux bras, qui glissèrent dans la sueur, la pluie et le sang. Fred se laissa faire, c'est à peine s'il grogna. Et encore, on aurait pu croire que c'était tout simplement le mécontentement d'avoir eu peur tout seul, d'avoir subi la foudre, le feu et la grosse boucane tout seul, dans la cabane, sans Toine. Quand il se décida à remuer, ce fut pour saisir Toine aux hanches, le soulever, le charger sur son épaule et déguerpir avec lui dans l'herbe, à grandes enjambées d'ogre. Aussitôt l'abri s'effondra derrière eux, dans un simple fracas d'arbre sec qui meurt naturellement de sa belle mort.

Le vent était tombé. Il n'y avait plus, dans les feuillages et même dans les flammes, qu'un frémissement mourant. Tout avait parlé de mort, tout avait hurlé à la mort, et tout s'apaisait. La colline recommençait à souffler. Au-dessus des pins, une grande clarté couleur d'abricot s'étalait : on aurait dit qu'un peintre venait tout juste de lécher la toile du ciel avec son plus gros pinceau, saucé dans l'ocre et le jaune safran. Ça sentait la menthe poivrée, le trèfle mouillé et un peu le soufre. Pas celui du tonnerre mais celui de l'allumette brûlée, un parfum paisible de soir d'été, de feu de camp dans le crépuscule tranquille. Finalement, l'orage n'avait été qu'une averse, du vent, un coup de foudre, un seul, et puis du feu.

À mi-pente, Fred jeta Toine sur la mousse, où il atterrit en riant.

— T'es dessoûlé, là ?

Toine rit. Fred s'accroupit, allongea le bras, ébouriffa la tignasse de son cadet, où étaient accrochées des cendres d'aiguilles de pin, petits accroche-cœurs tordus et roussâtres qui lui donnaient l'air de friser comme un mouton. Puis il s'allongea à son tour sur la mousse et croisa les bras derrière sa tête, comme s'il allait compter les étoiles à voix haute, épeler, pour son frère, les constellations, les nébuleuses, les galaxies et les étoiles filantes. Toine se colla contre lui et respira, à la manière du chien de chasse, la fragrance fauve, l'arôme salé de la sueur et du sang. Il lécha même ce sang-là, qui avait même goût que le sien.

— C'est assez, là !

Mais Fred riait, comme si Toine le chatouillait.

— T'as eu peur, Fred?

— Un fou dans une poche!

— Peur pour toi ou peur pour moi?

— Peur du feu, un point c'est toute!

— Menteur!

Alors Fred se leva, sans s'aider de ses bras, d'un bond facile. Puis, portant les doigts à ses lèvres, il siffla les chevaux.

— J'veux pas te perdre!

— Tu dis ça…

— C'est vrai!

Toine avait crié et un oiseau s'envola du bouleau, un merle ou une grive. Les deux chevaux, l'étalon et la jument, crevèrent les branches, derrière eux. Ils ne s'étaient pas sauvés bien loin.

— On va revenir à la ferme tout nus?

— Qu'est-ce que tu veux qu'on fasse?

Ils éclatèrent de rire, tous les deux, et les chevaux hennirent, ricanant avec les deux hommes. Là-bas, tout en haut de la colline, la cabane n'était plus qu'un maigre entassement de planches fumantes : on aurait dit le brasier mourant d'un simple feu de grève ou de branches. Demain, ou la semaine prochaine, il faudrait rebâtir la cabane. Rien ne pressait. L'été durerait encore.

— J'te promets que j'boirai pus!

— Avant ça, y va pousser des dents aux poules!

— Non! Promis! Juré, craché!

Et Toine cracha dans l'herbe, où le filet de bave s'étoila en forme de cœur.

— Tu vois?

Et il rit. Mais pas son frère. Fred branlait la tête, faisait non, oui et peut-être en même temps, tout en caressant la grande tête douce de son cheval. Il était, malgré lui, tout chaud de joie. Il n'arrivait pas, n'arriverait jamais à lâcher des yeux le corps de son frère. Et il souriait, ivre d'être enfin apaisé par la gloire d'un autre corps que le sien.

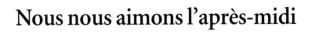

Nous nous aimons l'après-midi

Dieu devait inévitablement être incompréhensible.

FLANNERY O'CONNOR,
lettre à Alfred Corn, 30 mai 1962

Il est arrivé au village un vendredi matin du mois d'août, son sac de soldat sur le dos, ses grosses bottes de soldat fracassant triomphalement le ciment du trottoir, sa tête rasée de soldat balançant sur son cou, comme une grosse fleur de bardane au bout de sa tige. C'est Doris qui l'a aperçu la première — en fait, elle fut la seule à le voir, à part la muette —, pendant qu'elle suspendait sa robe de nuit sur la corde à linge. Nombreux sont ceux qui l'ont entendu dire, bien des semaines plus tard :

— Y plissait les yeux en souriant comme un démon ! C'est pas mêlant, j'me suis demandé si ma robe de nuit, je venais pas juste de l'ôter, si j'étais pas sortie toute nue, sur ma galerie, pour étendre...

Personne ne rira, en écoutant Doris évoquer le coup d'œil fou du garçon, ce regard qui vous mettait sens dessus dessous. Et puis ce rire de poulain piqué par une guêpe qu'il abandonnait derrière lui, au dire de Doris, comme la couleuvre sa mue sur une roche.

Vers dix heures, ce matin-là, il franchit le seuil du dépanneur-restaurant-terminus d'autobus — Chez Albert, bière, vin et nouveautés —, en faisant claquer la porte « comme un coup de carabine ». Albert n'était pas derrière son comptoir, ni même dans son arrière-boutique, où la radio jouait toute seule un air qui vantait l'amour qu'on fait dans une chambre d'hôtel, en plein après-midi. Marie-Louise, la femme d'Albert, n'était pas là non plus.

Il n'y avait là rien d'exceptionnel : personne ne volait jamais rien dans le bric-à-brac où s'empilaient, le long des murs, boîtes de conserve, médicaments, poupées, camions de pompiers, poches de moulée pour chiens, chats, veaux et canaris, bougies, pinces, marteaux, boîtes de clous, pelotes de ficelle à foin et gros serpents de câbles à bateau. Chacun prenait ce qui faisait son affaire et ressortait après avoir scribouillé, sur un carré d'ardoise fixé avec du scotch-tape sur le comptoir, son nom — souvent même ses initiales seulement — suivi du prix de l'article en question. On décollait l'étiquette de la boîte ou du sac pour la recoller sur l'ardoise. Plus tard, le lendemain, ou même la semaine d'après, on entrait payer Albert ou Marie-Louise, « en passant ».

Non, le coup de carabine, l'effrayant claquement de la porte moustiquaire, c'est Estelle, la petite muette, qui l'a entendu et qui aussitôt s'est mise à trembler comme une feuille dans sa cachette, sous l'escalier du magasin.

— You-hou! Y a-t-y quequ'un?!

La fillette n'osait plus remuer ni même respirer, recroquevillée sur le sol de terre battue, sa robe enveloppant ses genoux comme deux petits melons parfaitement ronds. Elle les frottait à la manière d'Ali Baba caressant la lampe, appelant à son aide le génie bienfaisant, auréolé de sa fumée magique.

— J'ai de l'argent! J'peux payer!

La voix était sourde et en même temps haut perchée, une sorte de couinement à la fois caverneux et pointu. On aurait dit que le garçon appelait à l'aide et menaçait à la fois, suppliait et s'efforçait de mettre en garde dans la même locution éraillée.

Estelle entendit de nouveau le galop des bottes, cette fois accompagné d'un sifflement. Le garçon s'approchait du grand panier de pommes, sous la fenêtre. Elle en était sûre, parce que le vacarme allait grandissant: les bottes heurtaient à présent les planches de la trappe qui fermait la cave, où la fillette, quand il faisait trop chaud, descendait en cachette faire un somme sur une poche de grain. Le garçon sifflait l'air de la radio, plus précisément le refrain où il était question de « caresses délicieuses et interdites ». Brusquement, le fracas cessa et elle écouta le sifflement tout seul, coulant, heureux, désinvolte comme la roucoulade du merle après qu'il a mangé le ver. Puis la stridulation cessa à son tour, remplacée par un déchirement coléreux et frais, la première morsure à belles dents du garçon dans la pomme. Estelle sentit sa bouche se remplir de salive et son cœur se mit à cogner si fort qu'elle faillit bondir de sa cachette, comme la souris sort de son trou pour grignoter le morceau de fromage posé au beau milieu du piège. Un voleur! Le garçon était un voleur! Un voleur mélodieux, tapageur, à coup sûr pourvu de bonnes dents et peut-être d'un pouvoir effrayant. La fillette eut subitement honte des frissons de joie peureuse qui lui couraient sur la nuque, les épaules, les bras. C'était plus fort qu'elle : déjà ses jambes se dépliaient toutes seules et sa tête s'avançait, cherchait la planche où s'appuyer pour cesser de trembler et apercevoir enfin le garçon terrifiant, le garçon merveilleux. Profitant du brouhaha d'un camion qui roulait sur la route, Estelle se mit à genoux et colla son visage contre la planche. Elle aperçut les bottes, énormes, maculées de boue, puissantes, immobiles. Et elle entendit de nouveau le sifflement. À présent, la radio jouait un autre air et le garçon flûtait si malaisément la mélodie nouvelle que la fillette sentit diminuer son adoration. Elle écouta tristement ces sons qui lui rappelaient les fredonnements du concierge de son école, un grand garçon roux qu'elle avait d'abord pris pour un ange, mais qui s'était révélé idiot, insensible et méchant, comme les autres. Si les bottes ne s'étaient soudainement mises à danser — oh très légèrement — sur le plancher qui résonnait comme un tambour, Estelle se serait laissée glisser sur le sable frais, où sans aucun doute elle se serait tranquillement endormie. Mais ce ballet-là, ces envolées si légères des lourdes bottes, ces raclements, ces effleurements joyeux contre les planches, cette cadence vive, puissante, envoûtante, lui redonnèrent la joie d'une dévotion qui avait bien failli s'en aller comme elle était venue. La fillette s'aperçut alors qu'elle branlait la tête, secouait les mains et tapait du pied en sourdine, scandant avec lui la merveilleuse musique inconnue. L'espèce de gaieté apeurante de tout à l'heure, et qui l'avait lâchée, la reprit. Le garçon était bel et bien magique, à tout le moins possédait-il quelque chose de fabuleux, de surnaturel.

— Je t'ai vue !

Il avait repris sa voix grave et pointue, si différente du sifflement de tout à l'heure, si peu accordée à l'harmonieux piétinement que la fillette s'affola. Aussitôt, le regard bleu clair et la mèche de cheveux cendrés disparurent derrière la planche.

— Es-tu une souris ou ben une belette ? À moins que tu sois un ange ? Non, non ! Les anges ont peur de rien. Je le sais, j'en suis un ! Tandis que toi, tu trembles. Je t'entends d'ici claquer des dents !

Un gros vacarme, suivi d'un éclat de rire et aussitôt une grande main — la patte d'un géant, le poignet encerclé d'un bracelet de cuir où était gravé un soleil rayonnant transpercé d'une flèche — plongeait sur elle, frôlait sa cuisse, s'ouvrait et se fermait sur rien, sur de l'air, du vide, sur des brins de poussière dorés qui dansaient dans la pénombre de la cachette.

— Un diâble qu'on finit par connaître est un bon diâble, la p'tite ! Sors de là ! Tu vas voir que t'as pas raison pantoute d'avoir peur de moé…

Et puis, plus rien : ni voix, ni vacarme sur les planches, ni rire, ni sifflement. Le garçon était peut-être un ange, après tout, qui s'était posé inexplicablement chez Albert, avait martelé le plancher de ses bottines musicales, avait volé puis croqué amoureusement une pomme, avait ri comme un poney, avait parlé comme les anges parlent dans nos songes, puis était remonté au ciel, comme si de rien n'était. Estelle sentit son cœur tomber au fond de sa poitrine. Elle gardait les yeux grands ouverts sur le volettement, à présent très triste, des grains de poussière autour d'elle. Persuadée d'avoir rêvé du garçon, de son rire, de la pomme croquée, de la musique et de la danse, de la terreur, de la beauté, la fillette rampa imprudemment hors de sa cachette.

— Souple comme une p'tite serpente, par-dessus le marché!

Il était toujours là, l'ange, le démon, le voleur musicien, le croqueur de pommes, accroupi dans le cadre de la porte, une cigarette au coin de sa bouche qui souriait gentiment, ou peut-être grimaçait méchamment.

— T'as du feu?

Il était beau, bien sûr. D'une beauté d'ange qui pardonne, ou de démon qui s'apprête à vous envoûter. Ses yeux sombres, où dansaient deux feux follets, vous regardaient sans vous voir, ou plutôt paraissaient vous apercevoir dans le passé ou dans le futur, au commencement ou au bout de votre âge, dans les limbes d'avant ou d'après vos remuements sur la terre. Il avait le crâne rasé comme celui d'un vieux monsieur, mais une longe mèche foncée dormait sur son épaule, pareille à la queue effilochée d'un gros chat.

— Pas de feu, hein? Tant pis! Puisque c'est comme ça, va falloir que je fasse un miracle!

Aussitôt, le feu surgit dans sa paume, qu'il dégagea de sous sa botte dans une rapide, éblouissante gesticulation de magicien. Protégeant la flamme de ses deux mains, il la grimpa au bout de la cigarette, dont il tira une bouffée, avant de la tendre, toute boucaneuse, à la fillette qui fit non de la tête, dans un balancement lent et grave, quasiment solennel.

— Qui c'est qui t'a mangé la langue ?

Elle le regardait sans broncher. On aurait dit qu'elle attendait autre chose de lui, un autre miracle que celui de son étrange beauté, que celui du chant et de la danse, de la mèche couchée sur son épaule, de l'étincelle née de la botte et de la cigarette à l'arôme sucré.

— « Mais nous, nous nous aimons l'après-midi… »

Brusquement, il se leva, la cigarette toujours entre ses lèvres légèrement retroussées. Il ne chantonnait plus l'air, mais le bourdonnait, en descendant l'escalier, sa main entortillant la queue du chat enroulée à son cou. Sur le sable de l'allée, ses grosses bottes ne faisaient pas plus de bruit que les pattes du merle en chasse. Au-dessus de lui — il était aussi grand que les arbres, que les maisons —, voyageaient à toute vitesse de gros nuages tout déchirés. Pourtant, à ras de terre où se trouvait la fillette, il ne ventait pas du tout. Personne, pas un chat dans la rue, ni sur les vérandas, ni sur les galeries. Pas une voiture, pas une bicyclette, pas même une mouche ne rôdait.

— Viens-tu ?

Il tendit le bras — celui avec le bracelet montrant le soleil transpercé —, sans cesser de fredonner. Il avait retrouvé sa voix de tout à l'heure, enjôleuse, et qui faisait vibrer ensemble, comme l'archet sur les cordes du violon, les graves et les aigus. Estelle se leva, lissa sa robe sur ses cuisses, porta sa main à sa tignasse ébouriffée — elle la caressa doucement, imitant sans le vouloir, le geste gracieux du garçon — et s'avança timidement dans l'allée. Quand il attrapa sa main, la fillette se sentit d'abord papillon pris au filet, puis fourmi libérée d'un grand poids, qu'elle portait peut-être depuis longtemps sans s'en apercevoir. Elle ouvrit la bouche, la referma, l'ouvrit encore et finalement lâcha un petit caquet de poussin, que le garçon ne parut pas entendre. Il avançait à longues enjambées de soldat, traînant la fillette comme le pilleur son butin, une poupée de guenille dénichée dans les décombres d'une maison bombardée. Estelle bondissait, ricochait sur les cailloux du chemin, s'envolait et retombait, comme le cerf-volant qui n'arrive pas à prendre le vent. Elle était enlevée, emportée. Elle avait peur, elle était contente. Un peu plus et le cri qu'elle gardait, retenait jalousement depuis toujours, allait enfin sortir d'elle.

Elle aperçut la rivière, tremblante entre les ramures des pins. En entrant dans la broussaille, le garçon hissa la fillette sur ses épaules, d'un grand geste facile où il entrait autant de tendresse que de force. À califourchon, son ventre frôlant le chat endormi, Estelle culminait enfin à la hauteur des têtes de bouleaux et des nuages. Elle s'agrippait avec peine au front, aux oreilles du garçon qui riait, en galopant à toute allure dans les grandes herbes et les ronces. Une zébrure de sang apparut sur son biceps. La fillette faillit tomber dans la fardoche en se penchant pour lécher la fine blessure, qui avait un goût aigre et sucré de framboise d'automne. Il lâcha alors un feulement de chat sauvage en fonçant dans les mûriers, ses mains enserrant les chevilles de la fillette. Il laissait parfois échapper un bout de phrase, aussitôt mangé par le grand vent de la course.

— T'es ben, là, hein?... T'es contente?... Dis-le que t'es contente!... Parle, ma vlimeuse de sauterelle effarouchée!...

Une grande clarté soudain l'encercla. Elle entendit les

grosses bottes patauger dans la vase, puis dans l'eau. Aussitôt, elle eut les chevilles mouillées : une brûlure fraîche et soyeuse, pareille au frôlement de sa doudou de satin, par les nuits très chaudes.

— « Mais nous, nous nous aimons l'après-midi… »

Cette fois, la mélodie était essoufflée. Le garçon haletait, tressautait, tournaillait dans le courant violent. Elle aperçut un gros billot qui filait aussi vite qu'un canot à moteur, se frappait contre les rochers à fleur d'eau, dévalait le torrent et fonçait sur eux à toute allure. Le garçon se déhancha souplement, comme le matador déjouant la ruée du taureau, et le billot obliqua, puis dériva derrière eux, en sifflant comme un serpent de roches.

— Après la sauterelle, la truite astheure ! On compte jusqu'à trois ! Une… deux… trois !

Brusquement, les mains lâchèrent ses chevilles. Les épaules et le cou du garçon s'affaissèrent — elle eut de l'eau jusqu'aux cuisses — et une formidable secousse l'envoya en l'air. Elle vola juste assez longtemps pour entendre le rire éraillé du garçon, puis elle creva la surface écumeuse et s'enfonça comme une roche. Sa tête heurta mollement le fond sableux. Ses bras s'allongèrent comme des anguilles entre les joncs gluants. Elle ouvrit les yeux dans la lumière glauque et découvrit les bottes, immobiles, puissantes, solidement plantées dans la vase. Une voix — peut-être était-ce la sienne ? — hurla : « Au secours ! » Elle vit nettement les bulles, les mots-bulles qui sortaient de sa bouche et tout de suite elle vit apparaître la main du garçon, celle avec le bracelet au soleil mourant. Elle agrippa cette main-là, immense et très blanche, comme celle de saint Michel archange qui montait la garde à la porte de l'église, et fut soulevée, retrouvant aussitôt le ciel bleu, les nuages et le sourire extraordinaire du garçon.

— T'as parlé dans l'eau! J't'ai entendue!

De nouveau, il la hissa sur ses épaules. En dix enjambées faciles, indolentes, le garçon rejoignit la rive, le sable sec et enfin un talus d'herbe, où il se délesta de son fardeau grelottant et mouillé. La fillette tomba sans bruit sur la mousse, où elle se roula en boule, la face enfouie dans la fougère. Le tumulte de la rivière, à présent, n'était pas plus effrayant que du vent dans les branches.

— Hérisson, astheure? P'tit porc-épic mourant?...

Et il rit encore, de son rire écorché, si beau, si étrangement mélodieux.

— Comment tu t'appelles? Envoye, dis-le!

Un carouge sur sa branche lui répondit, déclinant son appellation compliquée.

— C'est pas à toé que j'parle, le moineau!

La fillette gloussa dans l'herbe.

— Quoi? J'ai pas compris!

— ...elle!

Elle n'avait fait aucun effort, et pourtant son gosier lui faisait mal comme si elle avait avalé du feu.

— Elle? Tu t'appelles Elle?

Estelle piailla, glouglouta, s'étrangla, sanglota, puis éclata de rire. Quelque chose se déchirait dans sa poitrine. On aurait dit un oiseau qui battait follement des ailes, ou bien un essaim de guêpes répondant aux exhortations terribles du garçon, à sa voix tyrannique, ensorcelante. Ses poumons prenaient feu, sa gorge enflait : elle riait, pleurait, se lamentait, exultait, rageait et s'égayait. Et surtout, elle produisait des sons, des couacs, des glapissements, des modulations. Une musique, une vraie musique d'ange ou de diablesse, et qui était l'exact, l'harmonieux contrepoint de sa mélopée à lui.

— On dirait ben que le chat sort enfin du sac !

Alors, d'un mouvement brusque, le garçon se leva et se mit à marcher, très vite, sans se retourner, en direction d'une talle de saules, assez loin derrière eux. La fillette se redressa, essuya du revers de la main la bave épaisse et salée qui avait coulé de sa bouche en même temps que son rire, que ses semblants de voyelles, que la musique, et leva la tête pour aviser la grève, la rivière moutonneuse, le ciel à présent lisse et tout bleu, mais pas le garçon, qui était bien le seul être vivant, le seul paysage vivant, le seul dieu vivant qu'elle désirait follement apercevoir. Encore une fois, elle imagina qu'elle avait rêvé du garçon, de la pomme, de la musique, de la danse, du bracelet avec son soleil blessé, du plongeon, de l'épouvante, de la joie, et aussi des râlements et des stridulations, de tous ces bruits écorchants et joyeux qui étaient inexplicablement sortis d'elle et avaient bien failli l'étouffer.

— Elle… Elle… Elle !…

C'était lui qui l'appelait ! C'était sa voix, sévère, rieuse, claire, enrouée. C'était la même musique éveilleuse, ressuscitante. Mais d'où venait-elle, d'où jaillissait l'appel, le céleste signe de vie ? Tantôt c'était un cri qui paraissait surgir du gros rocher échoué sur la grève, tantôt une clameur qui jaillissait des branches du pin, tantôt un sifflement provenant des saules, tantôt encore l'air de la radio, que paraissait entonner la brise toute seule, très haut, au-dessus d'elle.

— Elle !… Elle !… Elle !…

Cette fois la voix arrivait de la rivière, du courant où le garçon n'était pas pourtant, et que pas même un oiseau ne survolait. Alors la fillette, amoureusement, héroïquement, acheva ce qu'elle avait mystérieusement commencé : elle ouvrit très grand la bouche — si grand qu'elle goûta son sang sur sa lèvre —, gonfla ses poumons d'air jusqu'à sentir craquer ses côtes et beugla à tue-tête :

— Estelle !… Ici…!… Estelle !

Aussitôt le garçon creva la broussaille derrière elle, la face en masque de clown, les yeux ronds, les sourcils perchés tout en haut du front, la bouche arrondie autour d'un brin d'herbe qui gigotait entre ses dents, comme la queue d'un petit campagnol qu'il aurait à moitié avalé.

— T'as vu, Estelle ? C'était pas si sorcier !

La fillette courut jusqu'à lui, tête la première. Elle l'accosta si fort qu'il tomba sur le sable, où il la fit choir à son tour. Ils roulèrent, accrochés solidement l'un à l'autre, jusque sur la grève.

C'est alors qu'ils entendirent le ronronnement du camion. Ensemble ils se relevèrent, sans se déprendre l'un de l'autre. Le camion, celui d'Albert, était un vieux Ford rouillé, brinquebalant, qui lâchait une grosse fumée blanche. Le garçon posa un baiser plus léger qu'un frôlement de libellule sur le front de la fillette et brusquement la repoussa. Estelle tomba sur le sable mouillé. Déjà, le garçon courait facilement dans le sable, gagnait les saules, disparaissait dans la fardoche.

Albert descendit du camion et pataugea balourdement dans le sable. Il était tout échevelé. Sa chemise, sortie de son pantalon, battait sur son dos comme une aile en lambeaux.

Albert sut tout de suite ce qu'il fallait penser du sang au coin de la bouche de la fillette, de sa robe déchirée, de sa crinière ébouriffée, piquetée de grains de sable doré, de ses grands yeux fous qui le dévisageaient sans le reconnaître, peut-être même sans le voir. Ce qu'il ne comprit pas, ce qu'il n'a jamais compris, c'est d'où venait la petite voix, le pépiement de fauvette. Quel était au juste l'ange ou le démon qui prononça, par la bouche de la fillette :

— Toi fait peur !... Lui parti !...

On enferma Estelle dans sa chambre. On fit venir un docteur, puis un autre, le prêtre, le pharmacien, la maîtresse d'école et même un arrêteur de sang, le thaumaturge du village d'à côté et qui avait, paraît-il, redonné ses jambes à plus d'un boiteux. Mais jamais Estelle ne reparla. Et jamais on ne retrouva le garçon, le voleur de pomme, l'ensorceleur, l'abuseur d'enfants.

Au printemps suivant — on n'avait toujours pas compris, on s'efforçait tout bonnement d'oublier —, Estelle réussit un matin à s'échapper de la maison et courut jusqu'à la rivière. Elle retrouva tout : la joie suffocante de la galopade, la presque noyade dans le courant violent, la roulade dans le sable, et surtout la musique, celle du garçon et aussi sa musique à elle.

Elle marcha longtemps dans l'eau, pépiant à mi-voix, chantonnant, mais tout bas, aux éperviers et aux goélands, l'air des amours interdites, l'histoire de ces amants qui s'aiment l'après-midi.

Elle ne fut pas vraiment surprise de retrouver le bracelet au cœur percé, accroché à la branche la plus basse du saule, à sa hauteur à elle. Elle n'était pas étourdie au point de nouer le précieux porte-bonheur à son poignet. Aussi s'agenouilla-t-elle sur le sable, à l'endroit précis où pour la première et dernière fois elle avait parlé, et avala-t-elle d'un coup le bracelet, comme le merle avale le ver.

L'Amour est une région bien intéressante

Il faut montrer la vie non telle qu'elle est, ni telle qu'elle doit être, mais telle qu'elle nous apparaît en rêve.

A NTON T CHEKHOV, *La Mouette*

— La vie est devenue bien morose !

Le mot morose, bien sûr, n'est pas un mot rose. Pourtant, Clermont l'articule presque joyeusement, en arrondissant les lèvres — « Là, je singe maladroitement une espèce de trou de cul de poule, je le sais ! ». Clermont dit « morose » comme il dit « viens-tu ? » ou « va-t'en ! » Clermont appelle, convie, charme et chasse sans cesse, mine de rien. Clermont voit tous les films, lit tous les livres et clame son désenchantement « morose » sur les trottoirs. Clermont stupéfie les gens ordinaires, les chiens et les chats, et puis moi, qui fredonne une sorte d'amour « morose » pour Clermont, à tout bout de champ, la bouche close, mes grands « yeux de veau » éberlués par sa clarté qui fait mal.

Il se lève, enfile son manteau. Clermont s'en va, il va faire noir et froid et triste, dans le café, dans le monde. Ce sera « l'apocalypse », l'achèvement bête de la terre, ce sera vraiment morose, à des milles à la ronde.

— Clermont, attends-moi !

— Pour quoi faire ?

Je ne peux pas lui dire : « Parce que je te le demande », encore moins « Parce que je le veux. » Clermont monterait sur ses grands chevaux, clamerait haut et fort qu'on ne lui commande pas, qu'il n'a pas besoin d'un « petit chien de poche », d'un « chevalier servant », de ce qu'il appelle un « qui-suit-consent ». Consent au pire, comme de raison, pas au meilleur. Clermont fustige l'indécis, l'incertain, le vague à l'âme de celui ou de celle qui attend, qui dépend, qui ne devine pas qu'il est trop fervent, qu'elle est trop collante.

Sur le trottoir, il s'arrête, en chien de chasse flairant le lièvre, son bel épi gris-blond au vent.

— Tu te rends compte, si j'étais Tchekhov, je serais déjà mort ! Depuis exactement dix-huit mois, je pourrirais, au milieu des huîtres, dans mon wagon puant !

— Quelles huîtres, Clermont, quel wagon ?

Je ne lui dis pas : « Veux-tu me dire de quoi tu parles ? » Clermont parle, de source, de tout, de rien, de Tchekhov, des huîtres, de la vie qui ne se hausse jamais à la hauteur voulue.

— Tu savais pas ça ? On a transporté le cadavre d'Anton dans un train qui convoyait des huîtres, de Baden-weiler à Moscou. La mort est moche et pue le mollusque avarié !

Les mots sortent de sa bouche comme des bulles de savon, comme les huîtres du train en gare de Moscou, comme ces abeilles soûles qui surgissaient de la ruche, au cœur du verger — je ne sais plus où, je ne sais plus quel été c'était.

— Rassure-toi, on a fini par enterrer le grand homme. Gorki marchait derrière le cercueil. Devant lui, un imbécile racontait quelque chose à propos de son chien intelligent et, derrière, un autre se plaignait de l'inconfort de sa datcha… La mort est moche et ennuyeuse… « Non, ce n'est pas ça… je suis une actrice ! »…

Et Clermont rit, ou plutôt il pouffe, lâche une espèce de chialement mi-comique, mi-douloureux. Non, Clermont n'est pas une actrice, malgré ses faramineuses tirades, malgré cette voix pointue qu'il prend parfois pour déclamer la fin de tout, malgré sa belle écharpe bleu sarcelle, féminine, voltigeuse.

— Où est-ce qu'on va ?

— Qu'on ? Que je ! Que tu ! Chacun va de son côté, mon chéri. J'ai à faire !

— Où ?

— Quelque part, ailleurs, là-bas, autre part ! Et tout seul !

Clermont a crié « Tout seul ! », comme il hurle parfois « Ça suffit ! » au quêteux qui insiste. Et Clermont rit, le bras levé. Le taxi s'arrête, puisque Clermont le veut.

Clermont a quarante-cinq ans. Il est médecin. Il est « tout et rien et plus encore ! » Et il est mon père. Il est surtout celui qui n'a absolument besoin de personne au monde.

* * *

« Je pars, absolument persuadé que mon voyage ne sera pas d'un apport précieux ni pour la littérature, ni pour la science… Je veux simplement écrire cent ou deux cents pages et payer ainsi ma dette à la médecine, à l'égard de laquelle je me comporte, vous le savez, comme un vrai porc… »

Ces phrases — les toutes premières du récit — sont soulignées au crayon vert. Le petit livre a pour titre : *L'Amour est une région bien intéressante.* Clermont l'a oublié sur la table du café. Non, Clermont l'a laissé sur la table du café. Pour moi. Clermont sème toujours son chemin de petits cailloux. *Les Notes de Sibérie* du médecin scribouilleur russe me sont destinées, tout comme les billets de vingt dollars froissés que, de temps à autre, Clermont enfouit, « subrepticement », dans la poche de ma veste.

Enfant, à tout bout de champ, je trouvais une carte postale sous mon oreiller — un coucher de soleil africain, une cathédrale romane, un livre emprisonné dans une cage à pinsons — et, dans mon sac d'école, une écaille d'huître d'un tendre bleu de nuit, un clou de chemin de fer rouillé, un petit pot de purée pour bébé à demi rempli de sable rouge sang. Signes, pistes, messages indéchiffrables et qui, au lieu de me réjouir, de m'éveiller à quelque prodige insoupçonné, me faisaient peur. Ces fragments ensorceleurs évoquaient pour moi l'insignifiance de mes journées d'écolier, ces longues heures tristes passées loin de la mer, des trains et des plages. Clermont, par-ci, par-là, m'incitait peut-être à ne pas laisser filer la beauté, l'insolite, mes

46

désirs. Mais peut-être aussi essayait-il de m'apprendre — et alors les objets-sortilèges figuraient les éclats décolorés d'un trésor dilapidé — que l'émerveillement le quittait, petit à petit, grain à grain, comme du sable entre ses doigts, « subrepticement », et que la même chose risquait de m'arriver, si je n'ouvrais pas l'œil, « et le bon ».

« De nos jours, on fait encore quelque chose pour les malades, mais rien pour les détenus… » Cette fois, Clermont a encerclé la phrase. Une grande arabesque en spirale, si bien que les mots paraissent tourbillonner dans un remous, un entonnoir, un petit abîme tremblant et glauque.

C'est tout et c'est rien. C'est Clermont qui claironne. Mais qui claironne quoi, au juste?

* * *

— Allôôô…

« Elle se réveille à peine, elle est toute décoiffée », dirait Clermont.

— Maman, c'est moi.

— Bonjour, toi. Où es-tu?

Peu lui importe où je suis, je le sais. Je lui apprendrais que je téléphone de Rouyn ou d'Istanbul, qu'elle marmonnerait un rapide « Ah bon », aussitôt suivi d'un bâillement langoureux. « Ta mère s'ébat mollement dans la lumière qui émane d'elle. Toi et moi, nous nous mouvons dans l'ombre, derrière ou devant elle, en tout cas autre part, très vaguement dessinés, à peu près comme tu nous représentais sur tes dessins, vers l'âge de quatre ans… »

— T'as vu papa, dernièrement?

— Clermont? Non... Enfin, il m'a téléphoné, samedi ou dimanche dernier. Dimanche, oui, parce que les cloches de l'église sonnaient et que j'ai mis du temps à décrocher, vu que l'appareil, tu le sais...

— Il était comment?

— Pardon? Oh, comme d'habitude, affolé et tranquille. Tu sais comment il est : jamais naturel, toujours ahuri et gai et sombre et volubile. En apparence cordial, mais...

— Mais quoi?

— Je sais pas... Sa voix... Il m'a semblé couver quelque chose, une grippe peut-être, ou un voyage, à moins que ce ne soit un amour fou. Avec lui, on en est toujours réduit à deviner, tu le sais bien. Moi, j'ai fini par lâcher prise.

— Lâcher prise, quand on n'est plus accroché fort, c'est pas tellement malin.

— Phil, recommence pas, veux-tu! Ton père...

— Rendors-toi, maman, et fais de beaux rêves!

— C'est ça! Salut, mon grand! On sait jamais, la prochaine fois, tu m'appelleras peut-être pour demander de mes nouvelles?

— Maman...

Elle a raccroché. La tonalité bourdonne faiblement, me rappelant que toute vie est un mystère qui à tout moment vous raccroche au nez. La solitude est au bout du fil quoi qu'on dise. « Je t'aime, maman. » « Tu dis ça, mais au fond... » « Quel fond? Y a pas de fond! » « Si, y a un fond, tu le sais bien... »

* * *

— Ta mère m'a quitté, Philippe. Rassure-toi, je n'ai pas acheté de revolver et je n'ai pas commencé à tenir un journal…

C'était il y a deux ans. La première phrase était de lui. Le revolver, le journal, c'est de Tchekhov, bien sûr, dans une lettre écrite à son ami Souvorine, après sa rupture avec « Doumia au grand nez ». C'est Clermont qui me l'a dit, le soir même, quand je l'ai enfin eu au téléphone.

Je l'avais cru soûl, j'avais raccroché. Allongé sur le divan, les yeux fermés, j'avais évoqué longtemps leur beauté, leur grâce, les saisons heureuses, l'amour heureux, violent, le feu et la cendre, la pluie, le soleil, les cyclones, les accalmies, leurs radieuses chicanes, leurs engueulades de haute voltige, leurs joyeuses tempêtes dans la cuisine. Dehors il neigeait et moi je dessinais, ou bien je lisais. Ils avaient tort, ils avaient raison, tous les deux. Ils criaient, ils riaient. Ils s'attrapaient farouchement, se crêpaient le chignon, puis s'allongeaient sur le tapis du salon et s'endormaient, en roucoulant.

J'avais peur. J'avais mal. J'étais heureux. J'étais pris de fous rires terribles. J'étais joyeusement terrifié. Je les rejoignais, sur le tapis, me roulais en boule entre leurs deux corps mous, chauds, apaisés. Il continuait de neiger. Ils dormaient en souriant et je souriais, moi aussi. Ils étaient fous. Ils étaient atrocement, magnifiquement inséparables. Ils étaient seuls, ils étaient soudés l'un à l'autre. Ils étaient des monstres. Non, ils étaient des petits poucets aux poches trouées. Les cailloux, c'était à moi de les semer sur leur chemin. S'ils étaient capturés par l'ogre, je les retrouverais, j'assassinerais le monstre et je les ramènerais à la maison. À mon tour, je m'endormais, tranquille, rassuré, confiant. Inquiet.

* * *

« Il n'y a pas besoin de sujet. La vie ne connaît pas de sujets. Dans la vie tout est mélangé, le profond et l'insignifiant, le sublime et le ridicule... » « Ce goût d'inaccompli que j'ai sous la langue... » À chaque page, des phrases soulignées, parfois de trois gros traits, larges, baveux. Il neige, je lis. « Les gens qui depuis longtemps portent en eux un chagrin en ont pris l'habitude. Ils sifflotent et restent pensifs... »

Son téléphone ne répond pas. À l'hôpital, on me dit qu'il doit prendre son service à minuit. Il neige, je lis. J'attends. J'ai peur. Il est dix heures. La ville est blanche, muette. J'écoute Cohen, *Songs of Love and Hate,* un cadeau de Clermont. « *What can I tell you, my brother, my killer, what can I possibly say...* »

J'ai dix-neuf ans et je n'ai qu'une toute petite vie, derrière, à côté d'eux. Il neige toujours et j'attends. Et, bien sûr, les images reviennent, les scènes, les discussions, les esclandres, nos campements, nos décampements. Toutes ces maisons, une par saison ! « Nous sommes des nomades, nous sommes des charades, nous sommes une peuplade en balade », écrivions-nous, à trois, sur la neige, avec nos bâtons de ski. Ou bien sur le sable d'une plage, avec une branche de saule. Au bord d'un lac, un été, nous avions tracé une très longue phrase, énigme pour les oiseaux, le ciel, le vent, et pour moi, qui n'étais pas du tout certain de comprendre :

« Nous sommes venus, nous avons vu, nous avons vécu, nous sommes repartis… »

Je me rappelle un hiver. Ce devait être en mars. La glace tombait des toits, la route était boueuse, on aurait dit le lit d'une rivière après la débâcle. Nous avions encore la Jeep — en avril, elle allait disparaître, mystérieusement. Clermont était alors médecin de village. Il faisait des visites, il disait : « Je pars pour ma *ronne* de lait, qui m'accompagne ? » C'était toujours moi. Je manquais l'école deux jours sur trois. La maîtresse ne se souvenait jamais de mon nom, si bien que j'en inventai un nouveau, chaque lundi. Philippe Clermont, Clermont Maurois, Anton Tremblay. J'étais gaspésien, français, manitobain, louisianais. J'étais sans cesse nouveau, j'étais d'ailleurs, je n'étais pas comme les autres, j'étais « nomade, peuplade en balade ». Je lisais, je dessinais sur les murs de ma chambre, surtout je traînais derrière Clermont, dans les rues du village. Je dévisageais les malades, accroupi sur les seuils des portes, mon manteau encore sur le dos. Leurs visages blêmes, leurs mains tremblantes, leurs regards suppliants. Clermont était un dieu, mais un dieu fou, le docteur « Dolittle, do much », un sauveur maboule. Il riait, parlait beaucoup et fort, faisait « subrepticement » surgir de sa sacoche le stéthoscope, un gant, une ampoule, une fiole : un magicien. Les malades souriaient, déjà à moitié guéris. « Il me semble que je trompe les gens avec mon visage trop gai ou trop grave. » Anton, toujours. Déjà. « Mon Saint des Saints, c'est le corps humain, la santé, l'intelligence, le talent, l'amour et la liberté absolue vis-à-vis de la force et du mensonge... »

En rentrant, la Jeep avait fait une embardée et nous avions pris le clos. La voiture avait capoté dans la boue, une, deux, trois fois. Et puis nous nous étions immobilisés — les pattes en l'air, le dos contre le plafond de la Jeep — juste comme le chanteur à la radio entonnait : « Je viens te chanter la ballade, la ballade des gens heureux... » Nous avons ri si fort et si longtemps que nous n'avons jamais su dire, après, si c'était le carambolage ou bien notre quinte de rire qui nous avait fêlé les côtes. Nous avons marché, en boitillant dans les champs boueux, jusqu'au village, sous la neige mouillée. Clermont récitait *Le Méchant garçon*. Il connaissait la nouvelle par cœur. L'histoire de ce gamin panier percé qui se fait payer pour ne pas dévoiler les rendez-vous de deux amoureux mal dégourdis, le ton langoureux, déclamatoire, que prenait Clermont pour s'adresser aux arbres, aux corneilles, au ciel noir, me donnaient froid dans le dos.

— « Dans cette vie terrestre, il n'est rien d'absolument heureux. Un événement heureux apporte d'ordinaire avec lui son poison, ou bien quelque chose d'extérieur l'empoisonne... »

Je tremblais, j'avais froid, j'étais triste. J'étais ce méchant garnement qui allait trahir les deux amoureux innocents, d'un jour à l'autre. J'avais peur, sans comprendre. J'avais dix ans, j'étais déjà vieux, j'étais de trop. J'existais dans un conte où je prenais trop à cœur mon rôle d'extrême arrière-plan.

— « Il épiait, exigeait des présents, n'en était jamais satisfait... »

Oui, c'était bien moi, cet enfant espiègle, cet enfant gâté, l'enfant indésirable.

Je me lève, enfile mon manteau et sors dans la neige, dans la nuit.

*   *   *

J'ai couru jusque chez lui. J'ai la clef, bien sûr. («Tu es chez toi, chez moi! Chez moi, qui ne suis jamais chez moi, chez toi!») Une seule lampe est allumée, dans son cabinet de travail. Une lueur ambrée et qui éclaire les livres empilés contre le mur. Sur sa table, la correspondance d'Anton et Olga Knipper. Encore des passages soulignés, frangés d'étoiles, de soleils, de petits chiens faisant la belle, un cœur déchiré entre leurs crocs.

«Olga : Nous avons si peu parlé ensemble, et tout est si peu clair, ne trouves-tu pas? Ô toi, mon homme de l'avenir…»

«Anton : Tu es excessivement froide, comme il convient d'ailleurs à une actrice…»

«Olga : Tu as un cœur aimant, tendre. Pourquoi l'endurcis-tu?»

«Anton : Si nous ne sommes pas ensemble maintenant, ce n'est pas ma faute ni la tienne, mais celle du diable…»

Ils se battaient, ils s'aimaient, je ne savais jamais. Ils s'empoignaient la crinière, pareils à l'étalon et à la jument en rut, hennissaient de rage et d'amour, juchés sur leurs pattes de derrière. Ils ruaient, feulaient, ils étaient une seule et même bête féroce, légendaire, inapaisable. Écrasé sous la

53

table, je voyais pointer une jambe, se crisper un poing, s'élancer un pied coléreux. J'entendais l'étoffe de la robe se déchirer, les boutons de la chemise rouler sur le plancher. Je comptais les coups, m'apprêtais à éponger le sang. Je fermais les yeux. J'exigeais de disparaître. Je suppliais un Dieu qu'ils ne m'avaient pas appris à prier de me reprendre, de me rappeler dans les limbes, où tout est miraculeusement incertain.

Puis, la mort n'ayant encore une fois pas voulu de moi, j'ouvrais de nouveau les yeux sur leurs corps nus, zébrés d'égratignures. On aurait dit qu'ils revenaient de la talle de framboisiers, derrière le chalet — je ne savais plus lequel, je ne savais plus de quel été radieux il s'agissait. Leurs corps s'aimaient avec une colère qui ne se démontait jamais, une joie furieuse, des roucoulements sauvages, suivis de chuchotements plus tendres, doux comme leurs mains sur moi quand ils me mettaient au lit. Car ils m'aimaient, après, tendrement, distraitement. Il leur restait si peu de force. Ils me bordaient avec des rires épuisés, des bras morts, des mains vides, des regards, des sourires extraordinairement fatigués.

« Anton : Tu me demandes : qu'est-ce que la vie ? C'est comme si on demandait : qu'est-ce qu'une carotte ? Une carotte, c'est une carotte, et on ne sait rien de plus… »

Je me lève, brusquement énervé. J'ai chaud, je dois faire un peu de fièvre, j'étouffe. J'ouvre une fenêtre. Il a cessé de neiger. Au-dessus des arbres, le ciel est d'un vert noir, un firmament de conte cruel. Une voix en moi ne cesse de répéter : « La nuit va finir et tout ira bien, tu vas voir, tout ira bien… »

Leur amour, leurs chamailles, « love and hate »,

emmaillés serrés. Anton et Olga, le docteur maboul et l'actrice mythomane. Le couple idéal, les amoureux maudits. « Je t'aime, je peux te battre… »

Un soir que je l'attendais — il avait sursauté en entrant dans la pièce, me découvrant assis à sa table, comme ce soir —, j'avais voulu le prendre au dépourvu, rivaliser de vitesse avec lui. Avant qu'il n'ouvre la bouche, pour me fustiger d'une remarque drôle ou méchante, ou plutôt drôle et méchante — « Tes copains en ont assez de tes fantaisies de fantôme fantasque ! » —, je lui avais lancé, d'une petite voix fluette, qui n'était pas du tout la mienne :

— Pourquoi vous vous aimez plus ?

Aussitôt, j'avais senti monter les larmes. C'était la question, le soulagement de l'avoir posée, la honte d'avoir eu l'audace de la poser. Et aussi l'espoir de le voir sourire, de l'entendre me dire : « Nous passons un mauvais quart d'heure, Phil, rien de plus. » Mauvais quart d'heure, cyclone, cataclysme, explosion de la planète : tout plutôt que cette fin du monde trop silencieuse.

Il s'était alors laissé tomber dans un fauteuil, comme si je venais de l'assommer. C'était la première fois que je le voyais pleurer. Il a sangloté longtemps, sans un mot, le visage sur ses genoux, ses mains allongées sur le tapis. Un chagrin silencieux, théâtral, absolument impénétrable.

Puis il s'était redressé, comme si j'avais tapé dans mes mains ou lancé un verre contre le mur. D'un pas titubant, il était sorti de la pièce. J'ai entendu le cliquetis des cintres de la penderie, le robinet de la salle de bain, la porte de sa chambre, qu'il a refermée doucement. Et puis, au bout d'un moment, sa voix, posée, tranquille :

— T'es encore là ? Tu peux dormir sur le divan, si tu veux…

J'étais sorti. J'avais marché presque toute la nuit. Et puis j'étais rentré chez moi, bredouille, étranger à tout, à moi-même, à mon lit, à la nuit, à la suite du monde.

« Pourquoi, dites, lorsqu'on tire un cheveu, ça fait-il mal, et lorsqu'on en tire beaucoup, ça n'en fait-il pas ?… »

*   *   *

J'ai dormi sur le divan. Comme autrefois, la chute dans les limbes après la tourmente, l'effroi. Les nerfs lâchent et je perds connaissance. Une main bienveillante — laquelle ? — tranche d'un coup tous mes fils et je descends dans l'oubli comme dans une eau noire et morte. («Philippe tombe, comme Alice au fond de sa tasse de chocolat, au fond de son sac d'école, au fond des yeux de son ourson… ») J'émerge, ahuri, incrédule, affolé. Mon assoupissement m'a fait perdre du temps. Je soupçonne, comme toujours, que le pire ou le plus beau est survenu sans moi. Cette lueur blême, dans la fenêtre, ne peut pas, ne doit pas être le matin ! Cette vie endormie, la mienne, n'est pas, ne peut pas être ma vie ! L'effroi est passé, l'amour ne mourra plus, rendors-toi, ce jour n'est pas le vrai jour. Non, réveille-toi, cette clarté, c'est l'aube ! Tu as dormi cent ans, ils sont morts, tous les deux, depuis longtemps ! Tu n'as plus rien à faire ici, dans la vie, dans leur vie, dans le temps, leur temps ! Tu étais avec eux, à eux, et maintenant tu n'es plus rien, tu n'es plus à personne, tu n'es nulle part, tu n'es plus vivant! Tu n'as jamais été vivant! Tu es cet enfant de l'amour qu'ils n'ont pas eu le temps de mettre au monde.

Le téléphone carillonne. Depuis quand? Depuis longtemps, depuis toujours. Tu dormais. Tu savais, en dormant. Tu l'as toujours su. Tu attendais, endormi. L'amour est une région bien intéressante. Le paradis perdu. Mon petit chien, mon petit cheval, sois heureux, sois brave, tu n'y es pour rien, ne t'ennuie pas, ne sois pas triste. Ta mère et moi, nous n'avons jamais aimé que les cimetières et les cirques. Le vrai sujet, c'est l'imposture et la vérité de ses héros. Nous n'existons pas, n'aimons pas, il n'y a rien au monde. J'ai été bon et généreux sans aimer. Regarde la neige qui tombe, quel sens cela a-t-il? Il y a si longtemps que j'ai bu du champagne.

— Allô?

— Philippe, oh! Philippe!…

Elle sanglote, bien sûr. («Ta mère joue vrai, toujours!») Je murmure :

— Il s'est tué, je le sais. Finalement, le revolver, c'était vrai.

— Non, il a avalé des pilules, du poison, des saloperies…

Je raccroche, doucement. Je m'allonge.

Anton, à Olga : «Tu écris, "où que je me tourne, il n'y a que des murs", mais où te tournes-tu?»

Tigre, ou comment l'amour ne vient jamais trop tard

Il me reste l'avidité. C'est la seule force qui ne se fasse pas humble avec le temps.

COLETTE, *Le Fanal bleu*

Depuis toujours j'aime les hôtels vétustes, entourés de jardins minutieusement sauvages, la mer froide, les crépuscules cramoisis d'automne, les livres énigmatiques, et les jeunes garçons déliés et ombrageux. Je suis un vieux jeune homme doux-amer, aux passions tranquilles mais assidues. Je vais bientôt mourir, j'imagine : j'ai beau y songer, de temps à autre, quand un genou, une cheville m'obligent d'abréger ma promenade du soir, la mort, la mienne en tout cas, ne m'intéresse pas.

Il est assis près du piano. Tout à l'heure — oh ! je sais bien que c'est par inadvertance — sa cuisse a frôlé mon épaule, et j'ai connu une longue minute du seul bonheur qui me soit encore accessible : celui de la caresse fortuite, de l'attouchement involontaire, pulsionnel, surnaturellement animal. Je peux me montrer — à moi-même, je me mêle aux autres le moins possible et ne confie à personne, jamais, mes ensoleillements et mes noiretés fugitives — industrieux, compliqué, voire, pourquoi pas, maniaque. Je suis, oui, un doux maniaque, un obsédé bien innocent, un fervent adorateur très confidentiel. J'ai un faible pour le cryptique, le discret, pour le masque bien porté, le désir occulte, la volupté latente, les élans insondables, nuancés et clandestins. Depuis toujours, je dissimule plus ou moins habilement mes béguins — assez fréquents, toujours heureux et tristes, comme de raison —, mes engouements, mon trouble, mes exaltations de modiste, qu'une nuque blonde, un poignet solide, ou une paupière pourvue de cils trop soyeux émeuvent exagérément : bref, je cache soigneusement ce que ma pauvre et tendre mère nommait humblement ses « chaleurs ».

Donc, il est assis près du piano. Personne n'en joue, d'ailleurs, de ce piano, appuyé contre l'escalier, semblable à celui qui, dans le grenier très embourbé de ma mémoire, monte de la salle d'étude au dortoir, et qu'aujourd'hui, comme autrefois, je grimpe à petits pas d'ange démoniaque et très circonspect, mon bras, ma cuisse frôlant l'épaule, le coude, parfois la joue d'un camarade qui, bien sûr, ne s'aperçoit de rien. Ou bien — et c'est tout de suite le doute magnifique, un grand bonheur radieux, essoufflant et que personne ne peut voir — fait mine de ne s'apercevoir de rien. Car je m'abuse, il va sans dire, et généreusement : je me laisse souvent aller jusqu'à croire que le frôleur consent à demi, s'abandonne légèrement, s'émeut involontairement de l'effleurement accidentel. Je suis — et je sais bien ce que la formule a de déplorable — celui que, dans le jargon des anciennes maisons closes, on appelait « un compliqué, un cérébral ». Bien que jamais il ne me soit venu à l'idée d'enchaîner ou de me laisser enchaîner, de lever ou de subir le fouet : la brûlure de haine concupiscente m'est tout à fait étrangère. Le désir, au naturel, est un tortionnaire dont les cruautés mettent suffisamment au supplice. Et puis les machinations humiliantes m'ennuient : je me sais déjà, au premier regard que jette sur moi le garçon trop beau, agenouillé, vaincu, dompté. Non, je ne m'abaisse pas, ni ne m'écrase, je ne désire pas m'avilir, me dégrader, devant l'enfant superbe et dédaigneux. Je gèle, je brûle, je me pétrifie, le nez dans un livre, ou le bras nonchalamment appuyé au manteau de bois lisse de la cheminée, en apparence très préoccupé de la phrase sinueuse que je fais mine de déchiffrer, ou du grain très doux sous mes doigts du chêne verni. C'est ce que j'ai fait, tout à l'heure, quand il est entré dans la pièce : j'ai pris ma posture — invraisemblable et pourtant agréée par la vieille dame tricoteuse près de la fenêtre, par la jeune institutrice liseuse sous la lampe, cependant que totalement ignorée par lui, bien sûr — ma pose de soldat négligemment à l'attention, de sentinelle aux aguets, l'air de rien, les yeux écarquillés, le cœur battant, adossé au mur comme le condamné à la fusillade, ou plutôt comme le vieux professeur que sa courte promenade dans le jardin a un peu fatigué. À mon âge, toutes les défaillances sont admissibles, tous les arcs-boutants sont autorisés. On est ébahi, admiratif devant le vieil homme toujours élégant, qui fait de longues promenades, noue sa cravate tout seul et, au dîner, qu'il prend toujours seul, ne répand pas le contenu de son assiette sur sa veste ou son pantalon. On prodigue aux vieillards, même les mieux conservés, les défiances et les préventions qu'on consent aux infirmes et aux grands brûlés : il tient du miracle qu'ils sachent encore répondre quand on leur parle — généralement assez fort et sur le ton qu'on prend pour louanger le petit enfant souffreteux —, chaussent leurs espadrilles sans éprouver le besoin de s'asseoir et se souviennent du livre qu'ils viennent d'achever, comme du jour de leur première communion.

Donc, oui, près du piano il est assis. Je sais qu'il n'a pas bougé, qu'il remue à peine — j'entends la crépitation très peu musicale de la paille du fauteuil où est avachie son incomparable anatomie —, et pourtant je ne le regarde pas. Mes yeux, occupés de sa seule présence ensoleillée, font le tour du salon sans jamais s'arrêter, du moins sans jamais s'attarder sur lui. Il va sans dire que je l'aperçois sur le flanc lisse et d'un beau bleu de nuit de la carafe posée sur la table, dans le miroir noir de la fenêtre ouverte, dans celui, convexe, de ma cuillère à café, que je prends soin d'appuyer sur ma joue et d'incliner de manière à piéger son reflet, dans les carreaux vitrés de la petite bibliothèque où, translucide, il apparaît en beau spectre alangui, en pâle fantôme offert.

— Il me semble qu'il fait un peu froid…

C'est la tricoteuse. Je reconnais la voix aigre, légèrement perchée, l'hésitation traînante. Comment peut-il lui « sembler » faire un peu froid ? À celle-là, il lui « semble » toujours quelque chose. Hier, au retour, non pas du bain de soleil — « J'ai une peau de fragile porcelaine », répète-t-elle, comme si le soleil pouvait fracasser de ses rayons la vaisselle —, mais de sa lente et longue séance de tricotage à l'ombre du bouleau, notre Pénélope indécise, toujours frissonnante, s'est écriée, en mettant un pied gauche incertain sur la première marche d'escalier de la véranda :

— Il me semble qu'il ne doit pas être loin de sept heures, non ?

Mon idolâtré n'était alors nulle part en vue. Il passe pratiquement toutes ses journées sur l'eau, à batailler avec une grande voile rouge sang, dans une débauche de gestes naufrageurs que je me plais, l'œil rivé à ma lunette d'approche, à confondre avec d'émouvants signaux d'invite, à moi seul destinés. Si bien que je me suis amusé, grimpant lentement à ses côtés le long escalier, m'arrêtant avec elle pour souffler, histoire de donner raison à ceux et celles qui me voient agoniser au moindre essoufflement, à décortiquer, disséquer, condamner et puis rafistoler, à haute voix, l'abracadabrante réplique de notre dubitative tricoteuse.

— D'abord, l'heure qu'il est ne peut pas vous « sembler », chère mademoiselle. Ou peut-être madame ? L'heure ne nous semble pas. Elle est fixe, précise, et cela, même lorsqu'on ne dispose ni d'une montre, ni d'une horloge, ni même d'un cadran solaire. Ensuite — pardonnez mon extravagant souci d'une langue qui, aujourd'hui, va nulle part et dans tous les sens à la fois —, la formulation étonnamment ambiguë de votre question, si c'en était une, n'appelait aucune réponse de notre part. En effet, les aiguilles vous auraient-elles « semblé », sur une quelconque, invisible horloge, « pas loin de sept heures », qu'auriez-vous souhaité qu'on vous répondît : « Oui, non, peut-être, c'est à voir » ? Il eût mieux valu que vous articuliez, le plus simplement du monde, le fond de votre pensée, même incertain, même confus et qui, sans doute, aurait pu se formuler comme suit : « Sera-ce bientôt l'heure du dîner ? » Ou bien : « La journée ne vous a-t-elle pas « semblé » — ici, l'emploi du mot est correct — longue, à vous ? » Ou encore, tout bonnement, tout honnêtement : « Je m'emmerde, comme c'est pas possible ! »

L'institutrice, derrière nous, a ri de bon cœur, je crois, la main sur sa bouche, déguisant maladroitement en bâillement « après-soleil » sa brusque hilarité. Mais ma tricoteuse, elle, comme de raison, n'a pas bronché. Il est des inintelligences inébranlables. L'interloquée a imprécisément haussé les épaules, avant d'achever, au pas du mousquetaire, ses galoches applaudissant à vive allure derrière elle, sa montée vengeresse.

J'admets qu'il entrait un soupçon de mépris, peut-être un zeste de colère (inadmissible !), dans mon admonestation aux allures de prise de bec. C'est, bien sûr, que mon athlète angélique, loin de m'apercevoir, depuis trois jours « semblait » me fuir. Je ne m'accoutumerai jamais à la violence du regard, du sourire qu'on ne vous rend pas. Même involontaire, la mortification me « semble » — décidément, la tricoteuse s'incruste ! — toujours un peu voulue, voire assenée, peut-être même stratégique. On a si peur, de nos jours, des incertaines, des dangereuses intentions des autres ! Une ou deux fois, m'abolissant entièrement, formidablement farouche, le visage du garçon s'est tourné, baissé, levé et même braqué sur moi. Aussitôt, je me savais démasqué, moi qui porte à cœur de jour sur ma figure l'antithèse du déguisement, c'est-à-dire cette expression d'attente, de désir résigné, de soumission à l'avance que je montre très humblement, et qui doit ressembler au loup ou au domino qu'arboraient autrefois, lors de bals qu'on disait justement masqués, les soupirants indésirés.

Bref, à peine la tricoteuse a-t-elle émis sa plainte — « Il me semble qu'il fait un peu froid... » — que je me lève et cours, ou plutôt glisse, plane, vole vers la croisée ouverte où, sa main étant plus rapide que la mienne, mon adoré saisit le pan de la fenêtre, d'une poigne si émouvante, si virilement secourable, que je me vois blêmir dans la vitre de ladite fenêtre, fermée avec fracas et réfléchissant à présent ma face éberluée. J'en suis quitte pour frôler cette main qui peut tout, en frissonnant de partout, comme si j'allais vraiment me trouver mal, alors que je me trouve, il va sans dire, le mieux du monde, au septième ciel, divinement à l'agonie, sans que rien y paraisse. Mon flegme est le résultat de longs et très laborieux exercices, élaborés dans le plus parfait des secrets et dans la plus éprouvante des tortures.

Comment le décrire, le peindre, donner soupçon de son inégalable splendeur ? Il me revient, ici, pour ainsi dire à point nommé — tout plutôt que d'acquiescer à ce terrible désir de fléchir les genoux et de me retrouver écrasé sur le sol, en proie à cette faiblesse où chacun, ou plutôt chacune apercevrait ma mort —, le souvenir d'un très beau chat, qui fit autrefois les délices de trois jours de pluie dans une auberge, journées graves et noires qui, sans mon félin extraordinaire, auraient été entièrement gaspillées.

J'étais alors le jouet du plus féroce des tourments : celui de n'aimer personne en désirant avidement être aimé de tous. Un dieu barbare en voulait à ma pauvre vie de professeur au bout du rouleau, d'éveilleur terrorisé par ses élèves ensauvagés de bêtise et d'arrogance, qui avaient reconnu en lui l'adorateur fiévreux, le censeur débonnaire, bref, l'anti-tortionnaire par excellence. Mes classes étaient des chahuts effrayants, ramdams et baroufs vacarmeurs où même les plus zélés, les plus timorés de mes potaches s'acharnaient sur moi comme on achève à coups de pied et de poing la bête abattue dans l'herbe, et qui ne remue plus du tout. Un brave médecin de village — le mien —, les sourcils tout en haut d'un front dégarni et la voix détimbrée par l'habitude d'énoncer de mauvaises nouvelles, diagnostiqua un imprécis épuisement nerveux, gribouilla une ordonnance illisible — que je m'empressai de jeter au panier, avec les copies de mes faibles en thème — et suggéra un court séjour à la campagne, « là où les bêtes féroces ne sortent pas du bois où le Bon Dieu les a confinées ! »

Et c'est là, dans cette pension juchée à flanc de falaise, écrasé dans un fauteuil d'osier, sur la véranda dominant une mer qu'on aurait dite gelée, tant elle refusait obstinément de battre, de moutonner et même de frémir — une mer, bref, qui me ressemblait atrocement —, que je fis la connaissance de Tigre. Si son appellation l'apparentait à la jungle farouche, son regard vert d'eau, ses étirements et bâillements de contorsionniste qui se sait adulé, ses brusques tendresses de voyou qui s'abandonnait sous ma main, ses endormissements d'amoureux très léger sur mes cuisses ou mon ventre, le rapprochaient davantage du giton câlin, du favori capricieux. Je l'aimai tout de suite, jusqu'au vertige. C'est-à-dire que j'endurai avec bonheur ses caresses, frôlements, ronronnements, gémissements et pattes douces posées sur mon visage, comme des baisers d'ange.

Je ne me dérangeai pas de toute la semaine de mon siège, où j'achevai de cuver mon chagrin de vieil enfant idolâtre, cette peine quasiment insondable de l'instituteur inapte à tirer de ses ouailles autre chose que des balourdises et des insultes, alors même qu'il désire tant les instruire, les éclairer, leur révéler les merveilles et les embûches, les embellies et les pièges d'un monde qui les accueille et les repousse à la fois. Je me reposai infiniment en caressant Tigre, qui me faisait patte de velours et yeux doux, se donnant entièrement à moi, sans exiger de connaître son amoureux *alter ego* ému jusqu'aux larmes.

Baptisons donc Tigre mon adolescent barricadeur de fenêtres, coursier ailé sur la vague, grand dévaleur d'escaliers, siesteur alangui et tout de même alerte sur son fauteuil près du piano et qui, en ce moment même, sa main lisse, solide et bronzée effleurant « involontairement » ma pince parcheminée, éclaboussée de petites taches de son et tremblante, « semble » attendre je ne sais quel avènement, quel dénouement, quel scandale, peut-être. Ses grands yeux de rivière au soleil sont rivés dans les miens qui, inexplicablement, ne clignent ni ne cillent sous la bouleversante lueur, tant convoitée. Précisément, trop longtemps, trop ardemment convoitée, l'œillade prolongée me paralyse, m'engourdit, me tétanise : je me sais papillon englué dans la toile et l'araignée approche. Envoûté, piégé, je prononce habituellement quelque chose, généralement pas plus de dix mots, sans queue ni tête, et qui me viennent aux lèvres comme le sifflement au serpent débusqué dans l'herbe, ou le cri pointu à l'oiselle assise sur son nid et dont on écrase la queue du talon. Le désarroi n'est pas de la timidité. C'est au contraire une sorte de sans-gêne, de plaisir à se vautrer. Éhonté, me sachant déjà perdu, je marmonne, la rosée brûlante du désir et de la terreur perlant sur mon front :

— «À l'âme bien née, le valeur n'attend pas le nombre des années…»

La citation n'est sans doute pas exacte. Tout de même, la tricoteuse pouffe, l'institutrice glousse, l'horloge tictaque et le soir achève très langoureusement de rougeoyer derrière la vitre qui, comme moi, tremble encore. Mais mon Tigre, lui, ne bronche pas. Surtout, il ne retire pas sa main de sous la mienne. Il va sans dire que je m'émeus formidablement de ce prolongement fervent, inespéré. Je suis — cela m'arrive souvent — incapable de démêler la stupeur du dédain, dans l'éclairement extraordinaire de ce regard braqué sur moi comme une lampe chercheuse. La bouche, d'habitude, est plus sincère, plus loyale : la sienne, à l'instant, dessine un arc gracile, discrètement convexe, une volute pondérée qui pourrait signifier que le garçon me raille, tout comme elle pourrait laisser croire qu'il est inexplicablement attendri. Jamais je n'existe hors du piège affolant de l'équivoque : toujours, l'ambiguïté me gouverne. Je suis ambivalent comme on est ambidextre. Je suis incertain comme d'autres sont aveugles ou manchots : c'est une infirmité de naissance, la cause première de ma gaucherie insurmontable. Au bout du compte, c'est toujours à l'autre — au garçon adulé, à la marchande qui voit la file s'allonger derrière moi, à l'élève qui n'en peut plus de poireauter devant mon pupitre — de dire quelque chose, d'abréger l'inconfort, de mettre fin au malaise, de franchir l'abîme qui, de seconde en seconde, s'approfondit devant nous et menace de nous engloutir.

— J'vous tracasse, hein ?

Cette fois, j'en suis sûr, il sourit, de la bouche et des yeux en même temps, en une espèce de radiation solaire.

La porte du ciel s'entrouvre et je m'y engouffre, pieds et poings liés, le cœur ratatiné dans sa cage, fauvette à demi morte de bonheur et d'effroi. Du bout des lèvres, déjà — trop tôt, beaucoup trop tôt! —, j'articule un aveu, énonce imprudemment mon vilain penchant, formule cette supplique de condamné autorisant le tortionnaire à frapper le coup de grâce :

— Beaucoup !

Et c'est tout. Beaucoup ! Vous me « tracassez » beaucoup si, dans sa consonance d'orage, de beau désordre, de tempête heureuse, le mot tracas vous fait entendre, à vous aussi, ses tambours. Elle traduit quasiment tout mon émoi, cette phrase entière, explicite et assez belle, que je prononce, bien sûr, pour moi seul. Mais Tigre, peut-être, a deviné. Je me dévisage dans la vitre et comprends que j'ai tout dit, sans ouvrir la bouche, et que Tigre a tout aperçu, tout entendu. Aussi suis-je à peine étonné de l'entendre me chuchoter, comme un aveu :

— On étouffe ici ! J'ai envie d'aller marcher, pas vous ?

J'irais jusqu'au bout du monde marcher avec vous ! Avec toi ! Déjà je m'empare de lui, que je connais depuis toujours. Déjà je suis l'ami qui se savait injustement ignoré, qui a son amour bien mûr, tout prêt à s'enfuir de lui pour courir les chemins. Je dis, ou plutôt je marmonne :

— Volontiers !

La tricoteuse ricane, l'institutrice roucoule, l'horloge annonce muettement neuf heures, et le soir achève de tomber. Nous voici, côte à côte, dans l'embrasure de la grande porte, d'où l'on aperçoit le jardin noyé d'ombre et l'allée de peupliers où se promène, à cette heure, la brume toute seule, çà et là déchirée d'oiseaux indistincts. À peine nous engageons-nous sur le chemin, nos pas pétillant joyeusement sur le gravier, que Tigre s'empare de mon bras, qu'il emmêle au sien camaradement. Nous avançons à longues enjambées de soldats en permission, appelés par je ne sais quels délices, je ne sais quelles complaisances buissonnières, là-bas, plus loin : tout au bout du chemin, peut-être, à la nuit tombée… Je m'aperçois bien que je halète, en fait j'ai le cœur dans la gorge. Je suis l'heureuse victime d'un rapt, d'un enlèvement sous les arbres, d'un arrachement surnaturel à mon existence de tous les jours, si approximative et si bêtement ordonnée, si ennuyeuse.

Tous les sept pas — je suis superstitieux comme une vieille fille migraineuse —, je tourne la tête vers lui pour apercevoir le cheveu bleuté comme un plumage de merle, la poitrine bombée en bouclier, les cils brillants, comme mouillés, rabattus sur la joue amaigrie qui porte trace d'une fatigue sans bonheur.

— J'en peux plus !

Tigre, pour un épuisé, avance à belle allure. Je peine à le suivre : il me remorque, me traîne, comme si j'étais un boulet, ce grand poids, peut-être, qu'il a sur le cœur. Juste comme je vais déclarer forfait, lâcher — bien à regret — son bras et m'affaler sur un banc, Tigre s'arrête et tombe sur ledit banc le premier, en poussant un gémissement animal et très triste. Aussitôt, je reconnais le prélude à l'une de ces confessions de jeunes gens, dont je fus si souvent l'écouteur navré et attendri. Je devine qu'il va tout me dire d'un malheur où je ne serai pas, me confier, peut-être, une peine d'enfant, un de ces drames inextricables où la jeunesse s'enlise, comme l'abeille dans le miel qu'elle-même a fabriqué. Je m'assieds à son côté, déjà donneur d'absolution et d'indulgences, résigné à voir son âme comme son corps m'échapper, célébrant tout de même honteusement l'aubaine qui bientôt, peut-être, me sera donnée de toucher son épaule, d'étreindre sa main tremblante et, sait-on jamais, de sécher du tranchant très doux, très caressant de ma paume, des larmes que déjà je souhaite prodigues et salées. J'attends, immobile, transi, réunissant en moi toutes les patiences du monde. Je me fais réceptacle, mon oreille s'allonge, mon cœur s'échoue balourdement au fond de ma poitrine. Déjà mon bras s'étire, ma main s'ouvre, préparant le tapotement qui va tout déclencher de ce torrent de petits et de gros mots amers, trop longtemps contenus. Mais, encore une fois plus véloce que le mien, c'est son bras qui m'attrape, enserre violemment mon poignet, pendant que son visage s'approche du mien tel un spectre de conte. Je vois le diable, je vois Dieu, puis je ne vois plus qu'un bariolage traversé par l'éclair fou du regard. Aussitôt ma bouche s'écrase sous deux lèvres affables et si délicieusement charnues que je ferme les yeux, tout à l'ahurissement de l'attaque inespérée, ne songeant même pas, tellement cet embrassement-là me soûle, que l'instant est sans aucun doute trop beau pour être vrai. Comme pour donner crédit à l'arrière-pensée que j'ignore, mais qui doit bien rouler au fond de ma tête, les lèvres se détachent, le visage s'éloigne, ma bouche retrouve l'air de la nuit, mes oreilles le silence du monde et mes mains le vide auxquelles elles étaient cruellement habituées.

— C'est bien ça que tu voulais, non ?

— Tu peux être méchant, à présent : le bien est fait.

Je me tourne brusquement vers lui pour apercevoir les larmes, tout à l'heure quasiment espérées, qui coulent sur ses joues. J'entends le commencement d'un sanglot, qui me fend le cœur, mais que je ne m'explique pas, tant la reconnaissance m'étouffe.

— Quel que soit le motif de ce baiser-là, sache qu'il est désormais ineffaçable pour moi.

— Eh ben, t'en demandes pas beaucoup, toi !

— Non. Pas beaucoup. Et tu me l'as donné, ce peu-là, qui me ressuscite.

— Oh, arrête !

Très vite, il est debout, cheval cabré, comme piqué par une guêpe, ruant, soufflant du feu par les naseaux, dans la nuit trop tranquille. Ce garçon, ce martyr, mon bref, mon brûlant amour, s'éloigne mais ne me quitte pas encore. C'est toujours à moi, et non à la nuit hostile, qu'il déclare :

— Tu vois cette chambre, là-haut ? La fenêtre éclairée juste au-dessus du marronnier ?

Je me lève, avance à portée de caresses, de murmures. Son bras pointe en direction d'un carreau allumé, de la couleur tendre de l'abricot bien mûr, enchâssé dans la pierre de la façade, précisément au-dessus des dernières branches du marronnier.

— Oui, je la vois.

Il émane soudain de lui un effluve légèrement salé, un arôme aigre d'alarme et de détresse. Je pose, comme l'oiseau, deux ailes très légères, quasiment immatérielles, sur ses épaules. Il ne s'enfuit pas, ne se secoue pas, ne déloge pas les vieilles pattes protectrices qui se gardent bien d'appuyer, de serrer, d'étreindre.

— C'est la chambre de ma mère. Le docteur affirme

qu'elle passera pas l'été. Elle est malade, elle m'attend. Et moi, moi, regarde ce que je fais!

De nouveau, les tressaillements, les secousses, les spasmes, cette fois sous mes mains, mes bras, mon menton, d'un sanglot à présent entièrement élucidé.

— Pleure, tu en as besoin.

Et il pleure, longtemps. Là-bas — peut-être même est-il perché dans le marronnier? — un merle piaille. J'étreins, je le sais, un jeune mort en sursis, caresse amoureusement une nuque dévastée. Tous les deux, imprudemment offerts à des regards invisibles dans la nuit, nous pleurons, l'un contre l'autre, comme de grands blessés. Honteusement, librement, je savoure l'instant. Je sais bien que Tigre, tout à l'heure, bientôt, lèvera la tête vers le ciel printanier, vers les marronniers chargés de fleurs et qu'il s'éloignera pour toujours, en gonflant sa poitrine, comme un évadé. Alors je murmure doucement à son oreille:

— Je n'ai plus envie de me marier avec personne, mais je rêve encore que j'épouse un très grand chat.

À distance respectueuse

Nous sommes là, debout, tous les deux, au bord de la falaise, encerclés d'ailes et de cris. Nous voici arrivés au fin bout du monde, là où la beauté coupe le souffle. Lui, il est heureux, comme de raison. Tandis que moi, j'attends. J'attends encore. J'attends toujours.

Au large, sur la mer nappée de soleil, une barque attend, elle aussi, chargée de lutins et de gnomes, gesticulant en silence dans la lumière qui les dévore. Le vent est frais et léger. Ce serait beau, ce serait sans doute mieux, ce serait sûrement plus gai, pour lui, si je n'étais pas là. Il y tient tant à la gaieté, à l'allégresse, à cet enjouement qui naît, pour lui, de toute découverte — une crique de sable entre deux rochers, un monarque battant faiblement des ailes dans le filet d'une toile d'araignée, une soudaine percée de soleil sur la mer tranquille, au repos.

— Regarde, Marie-Hélène ! Tu vois l'aileron, là-bas, dans l'ombre du nuage ?

— C'est une nageoire, pas un aileron !

— Une nageoire, si tu veux. Tu la vois ?

— Oui.

— Tiens, la baleine a replongé !

— C'est pas une baleine, c'est un béluga !

— Un béluga, oui, t'as raison.

Bien sûr, que j'ai raison. Les baleines, les rorquals, les bélugas, je connais ! La « spécialiste », c'est moi. Mais le rêveur, l'émerveillé, le louangeur, c'est lui. La mèche au vent, la veste ouverte, le sourire ébloui. L'âme randonneuse, toujours, le cœur gai. D'une seconde à l'autre l'éblouissement peut survenir, il faut être prêt ! La beauté, comme Dieu, survient, s'éclipse, reparaît. À force de patience, de cette patience heureuse — il aime attendre, épier, il peut rester des heures embusqué —, la magie opère, le soleil sort des nuages, le béluga de la vague, le crabe de son petit trou dans le sable. Il peut même m'arriver de sourire. Alors il jubile, son visage s'éclaire entièrement. Il a gagné, encore une fois. « Il suffit de s'obstiner, Marie-Hélène ! C'est pas sorcier ! »

Non, c'est pas sorcier. C'est malaisé, inaccessible et souvent ça fait mal. Je frissonne. Il me regarde. Je sais qu'il va se tromper, une fois de plus, qu'il va décider pour moi, se prononcer pour moi, répondre de moi.

— Tu as froid. Tu veux rentrer ?

Je ne dis rien. Je le regarde. Il a l'air si triste, tout à coup, que j'ai peur. Il a eu soixante-trois ans, hier. Il n'est ni vieux, ni jeune. Il n'a pas d'âge. Jamais il ne se voit comme les autres le voient. Comme moi je le vois. Drogué de visions précises, d'images qui ne sont qu'à lui, il se laisse escroquer par ce qui l'arrange, ce qui fait son affaire. Il n'est jamais l'esclave de son propre tumulte. Pour lui, le temps est si vieux qu'il est neuf.

Je suis compliquée, injuste. J'ai trente-deux ans. Je suis plus vieille, je suis plus ancienne que lui, que ces rochers, que la mer. J'ai tout le poids du monde sur les épaules. Je suis fatiguée. Je frissonne de cette fatigue, de cette distance qui me sépare toujours de lui, de la mer, du béluga, de la joie, de ce désir découragé de toucher enfin l'inépuisable, au-delà de tout effort. Pour lui, le flux de la vie, son fleuve, son rythme, ce ne sont pas que des mots. Comme j'aimerais, à sa manière, perdre mon temps, traverser une année comme un seul jour, attraper à mains nues la vie gaie, légère, celle qu'il veut tant me faire partager, retrouver la mer comme si je ne l'avais jamais perdue.

Pourquoi la mort se montre-t-elle, chaque fois que je cesse de faire l'effort de voir, refusant de me contenter d'avaler la vie par petites bouchées? Voir, humer la mer, sentir le vent, toucher l'air, être touchée… Souffrir ne sauve pas, ne punit pas non plus. Le corps, le mien, est trop sensible. Il s'est un jour — comment? pourquoi? — détraqué, il ne se répare pas.

— On ne voit jamais les oiseaux mourir. C'est étrange, non?

— Pourquoi tu dis ça?

— Comme ça. Tu sais bien que j'articule toujours à haute voix ce qui me passe par la tête…

Je ne sais pas pourquoi, mais ces oiseaux qui se cachent pour mourir me donnent envie de pleurer. C'est une vieille envie, une envie folle de larmes neuves. Une envie qui ne sert à rien. Les yeux secs, la bouche tordue, je me tourne vers la mer, la mer changeante, la mer toujours pareille.

— Qu'est-ce que t'as, Marie-Hélène?

— Rien.

Brusquement, je fais volte-face et dégringole le sentier, où j'abandonne un peu de mon sang sur le tranchant du rocher. Je n'ai rien senti, pas la moindre petite douleur.

— Tu t'es blessée? Attends-moi!

Une tache sur la pierre pâle. La main rouge. L'artiste a saigné, a signé, sur la pierre.

* * *

Je pense à Zelda. À Zelda qui écrit interminablement à Scott, son « Do-Do chéri ». De Craig House, New York, de l'hôpital Sheppard and Enoch Pratt, Maryland, de la clinique Phipps, à Baltimore, de l'asile, du refuge, du mouroir :

« Je fais les choses que je peux faire et qui m'intéressent et si tu voulais que j'abandonne tout ce que j'aime faire, je le ferais volontiers, si cela devait avancer les choses, de quelque façon. S'il vaut mieux pour moi que j'entreprenne quelque chose de tout à fait étranger à mon tempérament, je le ferai. Bien que je ne voie pas quel bien cela peut faire de tricoter des sacs alors qu'on désire peindre des pensées, mais peut-être faut-il parfois faire ce qu'on n'aime pas... »

Il est debout, devant la fenêtre de la chambre, le regard

lancé sur la mer rouge sang. Mon regard à moi détaille la reproduction d'un petit tableau naïf, accrochée au-dessus de la table où j'écris. Des montagnes mauves, de grands arbres ébouriffés, des demoiselles d'autrefois, en robes claires, leurs chapeaux de paille à la main, leurs cheveux au vent, le ciel bleu tendre. Et j'ai tout à coup cette envie folle de le prendre par la main et de sauter avec lui dans le paysage enchanté. Nous ne serions plus alors que deux innocents coups de pinceau, deux éclaboussures de couleurs sans mélange, fraîchement jaillies du tube dans la pureté de paradis du monde.

— Tu t'ennuies ?

— Je travaille.

— Tu travailles ou bien tu rêves, tu jongles ?

— Je recopie ce passage où Zelda tente de réveiller Scott...

— Et c'est peine perdue, non ?

Peine perdue, oui. Il sourit. Dans son regard, la lueur du couchant dure encore, un éclat sépia, très doux. Je baisse les yeux sur mon cahier. Il s'assied sur le lit. Je l'entends délasser ses chaussures : discrets chuintements, légers craquements, menus claquements. Il soupire. Il est fatigué. Fatigué mais content. Cette première journée a été bonne pour lui, bien remplie. Un heureux accablement le convie doucement à faire une petite sieste avant le souper. Par la fenêtre ouverte, j'entends tinter les couverts. En bas, sur la terrasse, on dresse les tables. C'est le bal des serveurs, leur slalom discret, grave et silencieux entre les tables, les nappes qui volent au vent. Un rituel innocent. Mais rien ni personne n'est innocent. Je soupire. On dirait le halètement d'une bête prise au piège.

« Ma chère Zelda,

Mon cygne, vogue doucement, car tu es cygne. Oublie le passé. Tourne-toi doucement dans les flots où tu vogues et reviens. Cela semble une allégorie, mais c'est très réel. Je t'aime ma chérie… »

Francis Scott est heureux : *Tender Is the Night* est un succès. Tous sont d'accord, tous sont accablés de la splendeur du roman. Zelda est à Craig House, New York, seule. Tendres ne sont pas ses nuits, ni ses jours. Elle écrit à Scott, longuement. Elle le rassure (« Ton livre est imprégné de ce sentiment de tragédie impersonnelle… »), déplore qu'il dépense autant d'argent pour elle (« Cet endroit est probablement affreusement coûteux ! »), lui clame son amour (« Il n'y a vraiment rien d'autre à dire sinon que je t'aime… ») Elle peint des paysages flous, où Scott et elle ont été heureux, « pas rien qu'une fois, mais mille fois ! » Juan-les-Pins, les plages de l'Alabama, la mer des Antilles, les bicoques où Scott et elle avalaient joyeusement du pop-corn bien beurré, bien salé, à Coney Island.

« Scott chéri,

S'il te plaît viens me voir

S'il te plaît viens me voir

S'il te plaît viens me voir… »

Nous allons descendre manger. Des lanternes sont accrochées aux branches, petites lunes jaunes et rouges, chinoiseries minutieuses, légères, élégantes. Le Sableau, France, notre Juan-les-Pins à nous, notre fragment du paradis. Tendre pourrait être la nuit. Il fait si beau, si doux.

« Scott chéri, je ne suis pas en train de devenir une grande artiste ou une grande n'importe quoi. Et je ne suis pas entêtée ! Dis donc, je te prie, ce que tu désires que je fasse !… »

Oui, dis-le-moi, montre-moi où est la joie, où se cache l'apaisement, apprends-moi ton espérance, ton désir ! Tu as été mon professeur, sois-le encore ! La mer est à présent rose et noire. Le vent est tombé. Sur la terrasse, les hommes en costume pâle, les femmes en robes pâles, les enfants en culottes pâles, blouses pâles. Leurs voix gaies, leurs exclamations heureuses, satisfaites. Demain, la plage, puis la visite des marais d'Olonne, la cueillette du liseron soldanelle, de l'odorante armoise, de la rose pimprenelle. Nous irons, bien sûr, avec les autres. Je verrai, cueillerai, ferai semblant de humer, comme les autres, avec les autres.

— On y va, ma chérie ?

Il est debout, contre la fenêtre. Ressuscité, il enfile sa veste pâle. Je prends un châle. Sur la terrasse, les soirées sont tièdes, puis tout à coup fraîches, sans prévenir. Un châle rouge, rouge carmin, « une écharpe de sang ».

« Scott chéri, je t'aime plus que tout sur la terre. Mais il me semble que je n'ai plus le droit de t'infliger tous mes désirs et toutes mes nécessités. Goofo, tu le sais, la vie est si pleine de complexités… »

Là-bas, sur la mer, au large, un grand paquebot. Tous ses feux, comme des étoiles scintillantes, clignotent dans le commencement de la nuit.

« Ô, Scott chéri, n'hésite pas, toi qui le peux, à faire tout ce qui pourrait soulager ton fardeau !… »

* * *

Il ronfle, couché sur le dos, un bras sur sa poitrine. La clarté de la lune tombe sur mes pages, sur les mots embrouillés. J'écris son portrait, à l'aveuglette. J'écris : Le front dégarni, marqué de trois lignes parfaitement droites, on dirait des coups de couteau, très fins. De longs cils, plus soyeux que ceux d'une fille. Une seule mèche grise, et raide, alors que le reste de sa chevelure blonde ondule. Le corps est long, souple encore, les jambes sont musclées. Ses paupières sont entrouvertes et je distingue nettement le regard gris clair, pailleté de roux. Mon amant, mon maître, mon sage, ma belle tête heureuse. Sa vieille jeunesse. Ses lèvres sont retroussées, même durant le sommeil, en un drôle de sourire de fou, ou de saint.

« Pie chérie,
Cela me fait plaisir quand tu peux établir un lien entre l'achat de la Louisiane par les États-Unis à la France et pourquoi Fred Astaire lève le pied arrière gauche pour la joie du monde entier… Je veux que tu figures parmi les meilleures de ta race et que tu ne te gaspilles pas à des fins médiocres… »

Je pose le livre, referme le cahier et m'allonge sur le lit, à côté de toi. Tu gémis, puis tu te tournes sur le ventre. Ce n'est pas toi, ce n'est pas à cause de toi, dors, tu n'y es pour rien. Dis-toi que je marche dans un rêve, tout simplement, un mauvais rêve. On finit toujours par se réveiller, non ? Un jour, peut-être, je cesserai de me « gaspiller à des fins médiocres ».

La mer chuchote, ou bien c'est une femme plus malheureuse que moi, dans la chambre voisine. Je suis vivante, à côté de toi. Pourquoi est-ce que ce n'est pas assez ?

* * *

— On enferme dans des institutions ceux qui sont capables d'inventer des significations aux rochers, aux nuages et on couvre d'honneurs ceux qui s'extasient devant le progrès qui nous tue... La recherche du sens, Marie-Hélène, est un jeu de fous!...

Il discourt. Il s'amuse et est sérieux à la fois. Les autres se retournent pour dévisager le vieil homme espiègle et sa jeune maîtresse taciturne (mais peut-être est-ce sa fille?). Il fait chaud. Le car nous attend devant l'écluse. Les dunes, frangées de graminées, oscillent dans une brume de soleil. Je tiens précieusement entre le pouce et l'index une immortelle des sables, cueillie tout à l'heure en bordure du marais de vase salée. Lui, il s'est penché, il s'est même accroupi pour goûter la boue saumâtre. Nous avons aperçu le courlis cendré, qui picorait sur la grève. Lui, il a vu un canard vert, zébré de blanc. Pas moi : je regardais ailleurs, je ne regardais nulle part.

— La vie va dans toutes les directions à la fois! C'est une suite sans fin de possibilités infinies... « L'arborescence des possibles », écrit Hubert Reeves. S'il y a une cohérence dans tout ça, elle ne vient pas d'un ordre universel, mais du regard, de notre regard seulement...

Je hoche la tête. Je suis comme soûle : la chaleur, le vent brûlant sur mon visage, le gazouillis des conversations. Nos pas s'enfoncent mollement dans la berge sablonneuse où sont visibles d'innombrables signes de vie cachés : coques, palourdes, petits crabes. Vies carapacées et qui quand même s'enfouissent, s'ensevelissent. La peur, le désir insensé d'échapper à l'ennemi.

— Plongé dans tout ça, on s'oublie, et c'est bon, non ?

— Toi, oui. Toi, tu t'oublies !

Au sud de l'écluse, nous longeons une plage de galets calcaires, bordée de buissons de chênes verts aux feuilles luisantes, mangées par le soleil. On dirait des torches vives.

— Pierre, il faut que je m'assoie…

— T'es fatiguée ? T'es toute pâle ! Tu veux boire quelque chose ?

— Oui, peut-être…

— Tiens, là-bas, une buvette !

Trois petites tables, des chaises de bois et, Dieu soit loué, un parasol. Je glisse dans son ombre comme si j'entrais dans l'eau. Je ne tombe pas mais m'évanouis sur la chaise. Et puis je ferme les yeux et j'attends. Je suis Nicole Diver, épuisée de soleil, de solitude et d'effroi, Daddy's girl écrasée sur sa chaise, sur la petite plage de la Riviera. Pierre est revenu près de moi. Je l'entends poser les verres sur la table. Comme Dick, il accourt au chevet de la folle. Les glaçons tintent. Je respire l'effluve de son eau de Cologne.

— Tu te sens mieux ?

— Oui, docteur !

— Marie-Hélène, je t'en prie !

Il a élevé la voix, mais à peine. Je sais qu'il se dit : « Ça recommence ! », qu'il est tout à coup violemment malheureux, que je lui fais mal. Je sais qu'il ne veut pas entendre ce que je m'apprête à lui dire. Mais c'est plus fort que moi. Et puis, à qui parler, au soleil brûlant, aux dunes, aux promeneurs insouciants, ces fantômes ?

— Je suis fatiguée, Pierre, au bout du rouleau. Non, dis rien, laisse-moi continuer ! Quelque chose s'est détraqué, je sais pas quoi, ni comment. Mais je sens qu'y a plus rien à faire. Qu'on n'y peut rien, ni toi ni moi. J'en peux plus d'être aveugle et sourde, à côté de toi. De plonger le nez dans la corolle d'une fleur au parfum ensorcelant et de respirer du papier, de la poussière, du carton bouilli. J'en peux plus de lever les yeux pour tenter d'apercevoir ce que tu vois, toi, et de rien distinguer d'autre que le ciel vide, ou la mer furieuse qui cherche à m'engloutir… J'en peux plus de te voir essayer de m'ouvrir les yeux, de me déboucher les oreilles, de faire revenir le sang dans mes membres… Non, Pierre, attends !

Il s'est levé. Déjà, en quelques enjambées, il a rejoint le petit pont qui survole le marais. Une vieille dame s'approche de lui. Aussitôt, il se penche pour l'écouter. Il hoche la tête, sourit, allonge le bras, indique l'observatoire, là-bas, derrière les saules, ou bien peut-être le courlis qui descend lentement sur la grève. Je ne suis ni fâchée ni triste. Je n'éprouve rien, plus rien du tout. Je n'ai peut-être pas parlé, après tout. On prononce des mots, on les épelle, un à un, et ils descendent, légers, immatériels, comme ces oiseaux, là-bas : ils se posent sur l'eau, ou sur le sable, dans un froufrou très discret, quasiment inaudible.

Les glaçons ont presque entièrement fondu dans mon verre. Tout fond, rien ne reste. La peur, la tendresse, la beauté, le malheur : oiseaux migrateurs, voiliers à la dérive. « La recherche du sens, un jeu de fous. » Là, maintenant, inexplicablement, je suis tranquille, je n'ai plus mal, je suis presque bien. Je n'attends plus rien, n'espère plus rien, je n'ai plus peur de rien. Je ne bougerai plus d'ici, plus jamais. Ici, maintenant, sans raison, je suis heureuse. Il se tourne vers moi, sa main en visière sur son front. Il me regarde. Il ne sourit pas, pas encore. Des oiseaux s'envolent derrière lui. Comme si de rien n'était, je lève la main à mon tour, un petit salut, discret, léger, on dirait un envol encore. Il hoche doucement la tête et pivote au ralenti en direction de la lagune.

*   *   *

Comme ça, à distance respectueuse, je soupçonne à nouveau la tendresse et aussi le désir. Comme lorsque tu parlais, bougeais, levais et baissais brusquement le bras, sur la petite tribune tout en avant de notre classe, et que j'étais sagement assise à ma place, à t'écouter expliquer Faulkner, Dos Passos, Hemingway, et bien sûr Fitzgerald. Tu étais à la fois lointain et tout proche. Ton regard était passionné, ta voix extraordinairement émouvante. Tu t'adressais à moi comme aux autres, mais aussi aux murs, au ciel clair dans la haute fenêtre. Tu t'adressais au passé, à l'avenir. Tu voyais, tu me faisais voir, à distance respectueuse.

Un après-midi, tu m'as fait venir à ton bureau. Un long pupitre austère, vide, une grande fenêtre où balançaient en silence des branches rouges. Tu étais debout, contre la grande bibliothèque, immobile, grave, et tu souriais.

— Montrez-moi ce que vous écrivez.

Je n'ai rien dit. Je ne pouvais rien dire. Machinalement, j'ai ouvert mon sac et j'ai posé le cahier sur ton bureau. Tu as hoché la tête et puis je suis ressortie. Le tour était joué. Tu savais, bien sûr. « Ma lointaine, mon incarnée provisoire, ma pisteuse, ma traqueuse sur la pointe des pieds, ma muette parlante… » Tes lettres me bouleversaient sans me surprendre, sans me brusquer. Tu te montrais fervent, savant, sincère. Tu savais. J'ai aimé que tu saches, le premier, avant moi, que tu me devances, que tu me devines. Tu me délivrais, moi qui ignorais être prise. « Quand tu écris, tu vois. Pas autrement. Autrement, tu es mystérieusement absente. C'est la loi, une sorte de prix à payer. Et moi, j'aime le fantôme que tu es, un jour sur deux, quand les mots te manquent... » Tu m'as enseigné aussi le plaisir. Je n'étais pas très douée, du moins au début. Je voulais que tu parles, je voulais t'écouter. Souvent, tu te levais, tu te mettais à marcher, à faire les cent pas dans la chambre. Tu paraissais heureux, tu parlais de source. L'amour, sur le lit, pouvait attendre. Tu disais :

— Ce qu'on sait de l'électron, du comportement social des chimpanzés, est très partiel, très limité ! Faute de mieux, de plus, on se contente de ce pauvre savoir-là ! Alors pourquoi ne pas admettre sereinement qu'à propos de l'amour, de la vie, de la mort, de la liberté, on n'en sait guère plus ?...

Tu me faisais du bien, tu m'apaisais, comme ça, à parler fiévreusement, passant et repassant devant la fenêtre, où le jour se levait et se couchait tout seul, apprivoisé, docile. Quand je me raidissais, en proie à ce « vertige d'éloignement », quand je devenais l'étrangère, la mauvaise élève, celle qui trahissait tout — toi, la vie, notre chambre, les mots — tu me prenais contre toi, tu caressais ma tête, tu murmurais :

— Ne sois pas l'esclave de ta propre confusion. Moi, c'est pas pareil. Ne te compare pas à moi. Moi, j'ai renoncé. Je veux dire, l'écrivain en moi a renoncé. Crois-moi, ça n'a pas vraiment été une délivrance...

— Mais t'es guéri, toi !

— Guéri, non. Résigné, tout simplement.

— Résigné ?

— Je suis un passeur, Marie-Hélène. Rien qu'un passeur…

Tes yeux se mouillaient. Tu te levais, tu marchais encore jusqu'à mon bureau, ouvrais mon cahier, lissais les pages, posais le stylo dans le petit sillon, au milieu, et tu sortais, sans te retourner.

*   *   *

Je suis rentrée toute seule, à pied. J'ai marché tout l'après-midi. Ça m'a fait du bien. Tu n'es pas sur la plage, ni sur la terrasse. Je monte l'escalier, quatre à quatre. La porte de la chambre est entrouverte et j'aperçois tout de suite les fleurs, des immortelles des sables, qui jonchent le tapis bleu nuit. Je pousse la porte : il y en a partout, sur les tables, sur l'appui de la fenêtre, sur le lit. Les pages du cahier, posé sur l'oreiller, disparaissent sous une neige de pétales rosés. Je les balaie, du bout des doigts — un geste lent, très léger —, et découvre le billet, ton écriture dessinée à l'encre verte.

« Tu es pareille à ce livre que tu écris, sur Scott et Zelda — et aussi à propos de toi et de moi, je l'ai bien compris — et que personne n'a lu encore. Un livre qui n'est pas lu ressemble à une source cascadant toute seule, pour rien ni personne, dans la nuit sombre d'une forêt… Je serai de retour dimanche. Je n'aime que toi, et aussi la vie, où tu es, parfois sans y être. Cette vie-là, la vie n'a pas de sens,

Marie-Hélène. Et pourtant tes phrases, elles, ont du sens. C'est étrange, mais c'est comme ça. Travaille bien,

Pierre. »

Peut-être que ce sont mes larmes qui brouillent le paysage du tableau, fléchissent les arbres, font ondoyer les robes claires des anciennes demoiselles, tournoyer les couleurs.

Zelda à Scott, été 1938 :

« N'importe, à présent, je sais l'adresse de l'été, je sais où il vit, je sais d'où viennent les champs de pâquerettes, où infusent les chants d'oiseaux et où gîtent les ciels secrets. Ce n'est pas tellement loin… »

La boîte vide

Il acheta un billet éternel pour un train qui n'arri-
verait jamais à destination.

GABRIEL GARCÍA MÁRQUEZ, *Cent ans de solitude*

La boîte aurait pu renfermer aussi bien une douzaine de roses épanouies qu'un serpent venimeux. Il avait beau la secouer à tour de bras pour lui arracher son secret, elle restait silencieuse, inexplicable et si légère qu'il finit par la croire vide.

— Peut-être que j'ai rien mis dedans?

Alors il retomba sur sa chaise, persuadé tout à coup de son devenir de fantôme. Quelque chose d'infini arrivait à son terme, et le vieux se mit à pleurer, mais sans s'en apercevoir.

— Par-dessus le marché, y mouille!

Il essuya du revers d'une manche le mystérieux ruissellement sur ses joues et dévisagea de nouveau le paquet posé sur la table. Heureusement, il avait écrit l'adresse sur la boîte. Il était sûr que c'était la bonne, puisqu'il l'avait recopiée lui-même de son calepin, un petit carnet de cuir à la couverture usée, aux pages gondolées et qu'il avait aussitôt jeté aux ordures, où le livret était allé rejoindre ses lunettes et sa montre de poche. Toutes ses possessions s'en allaient en détail, mystérieusement appelées avant lui dans un néant plus mesquin et plus insatiable que le pire des contremaîtres qu'il avait eu à subir, au cours d'une trop longue vie de « travailleur intermittent » — comme il était écrit sur la première page d'un autre petit livret, disparu lui aussi, mais celui-là depuis belle lurette.

22, rue des Récollets

C'était à côté. C'était au bout du monde. Mais il trouverait. Il se souvenait plus nettement du village, de la rue et de la maison, que de ce qu'il avait mangé la veille au soir — si toutefois il avait soupé. Il ne mangeait plus, il grignotait, écrasé sur l'appui de la fenêtre, entre le géranium déplumé et un grand chat de porcelaine, dont le faux regard orgueilleux remontait à la nuit des temps.

Il se leva, serrant amoureusement la boîte contre sa poitrine, et attrapa, avant de sortir, son coupe-vent, son chapeau et son parapluie, qui gisaient sur le lit. On aurait dit les accessoires traînant dans la loge d'un vieil acteur obstiné à incarner toujours le même personnage, dans une pièce dont il avait oublié le décor, la passion et quasiment toutes les répliques. Il claqua la porte et dévala, comme si de rien n'était, les dix-huit marches de son escalier, étonné encore une fois de la jeunesse de son corps, alors que son entendement partait en lambeaux.

— Tiens, la pluie s'est arrêtée !

Depuis un bon moment déjà, le temps se détraquait, comme si le cosmos était atteint de la même maladie de doute, d'équivoque et d'omission que lui. Il y avait du rouge et du jaune dans les feuillages qui, hier encore, étaient d'un beau vert tendre et duveteux. Et le vent pinçait le visage, alors qu'hier… Mais quand donc, au juste, était hier? Quand, exactement, avait-il commencé à naviguer à contre-courant des journées, des semaines, des années? Quand donc, précisément, avait été inaugurée cette durée brumeuse dans laquelle il errait, en proie à des nostalgies à la fois personnelles et étrangères à lui, ce déroulement sens dessus dessous qui lui donnait l'impression de se débattre dans une toile d'araignée tissée entre des rosiers morts?

En traversant la rue, il fut quasiment renversé par un camion tout droit sorti de son imagination, long et large comme un paquebot et rutilant comme le poêle de faïence qui trônait dans le salon d'une vieille maison, où il habitait encore et toujours, inexplicablement. Pas plus tard que le mois dernier, on transportait la marchandise dans des fourgons de planches, tirés par des percherons. Le monde s'accélérait dangereusement et le vieux le traversait comme une victime sacrée s'avançant vers la pierre des sacrifices avec, dans les yeux, les tremblantes lucioles de l'incertitude.

— J'suis trop vieux, tout simplement…

Et il cessa d'y penser, tout en y pensant toujours. L'anéantissement n'arrivait pas à se consommer. Tout s'achevait sans finir, ou plutôt n'en finissait pas de finir. Selon cette méthode nouvelle de pensée, cet étrange fil-en-aiguille qui lui servait à présent de raisonnement, il songea éperdument à son amour qui, lui, était incapable de changement, d'amendement, de mutation. Il avait fait de la peine à Maryvonne et il accourait aujourd'hui demander pardon. Il lui offrirait la boîte, le présent de raccommodement, les yeux pleins d'eau, les bras ankylosés par une tendresse si lourde d'être restée trop longtemps inemployée qu'elle le paralyserait sur la première marche de la véranda. Et ce serait elle, qui sécherait les larmes, accordant son pardon comme un ange.

Sur le chemin de la gare, il croisa deux ou trois fantômes, qui le saluèrent avec des mimiques familières, des exclamations indolentes et de grandes gesticulations qui semblaient adressées à celui qui est déjà trop loin pour vous voir et vous entendre. Chaque fois, il enserrait passionnément la boîte de ses deux bras, comme pour la protéger des regards de voleurs de ces étrangers trop gentils. Il se présenta au guichet en étreignant toujours son paquet, sur lequel était posé le parapluie, comme une grande fleur de datura fermée pour la nuit.

— Un billet pour le 22, rue des Récollets, s'il vous plaît.

Le commis rit et se gratta l'occiput, comme si le vieux venait tout juste de le chatouiller derrière la tête. C'était un petit blond, pâle, à peine moustachu, arborant le regard clair et dédaigneux de l'employé modèle qui ne se rend au cabinet qu'après avoir consulté la feuille de route punaisée sur son comptoir.

— Où ça?

C'était de la cruauté, une punition qu'il ne méritait pas. Il aurait dû savoir, ce gringalet-là, que le corps humain n'est pas fait pour toutes les années qu'il a à vivre, ni pour le marasme des géographies où se perdent un jour, qu'on le veuille ou non, les affluents de la mémoire. Il se sentit devenir tout raide de colère, d'indignation et de cette honte perfide d'avoir laissé filer les méridiens et les parallèles de son grand amour.

— C'est un village, pas ben loin…

— Mais lequel?

Le vieux haussa les épaules et dévisagea le guichetier avec une terrible langueur de condamné. Puis, voyant qu'il n'en tirerait rien que cette grossièreté, cette barbarie qu'on voyait quasiment sur tous les visages et entendait dans toutes les bouches depuis quelque temps, il lui tourna le dos et s'en fut s'asseoir sur la banquette de bois verni adossée au mur et qui ressemblait à s'y méprendre au banc d'église où, hier encore, il avait posé ses fesses de premier communiant.

À ses côtés, une dame à peu près son âge caressait un petit chien allongé sur ses genoux, tout en chantonnant, comme un bourdon dans une enveloppe, un air que le vieux se souvenait d'avoir sifflé, le matin même, en enveloppant son paquet. Après avoir dévisagé le vieux comme si elle se rappelait subitement qui il était, la dame dit:

— Y a une rue des Récollets à Sainte-Anne. Une autre à Saint-Joachim. Et encore une autre à Bethléem, me semble bien…

— Bethléem, c'est à Bethléem!

Il en était sûr, à présent. Son amour vivait, sans lui, à Bethléem! Hier encore, il avait eu sur le bout de la langue la dénomination de ce coin de paradis à consonance d'Évangile. Il avait déclamé tout haut, faisant les cent pas dans sa chambre comme un puma en cage, tout ce que le panier percé de sa mémoire avait sauvegardé de ses très anciennes lectures de l'Ancien et du Nouveau Testament. Nazareth, Jérusalem, Jéricho, les bourgs au bord de la mer morte, ceux échelonnés sur les rives du lac de Tibériade, le rocher où Abraham avait failli assassiner son fils, Cana où l'eau avait été changée en vin, le jardin des Oliviers, où le sauveur avait pleuré toutes les larmes de son corps et jusqu'au Golgotha, où son côté avait été percé d'une lance, libérant un peu de sang baptisé d'eau… Épuisé, et la bouche amère comme s'il avait avalé du jus de radis noir, il s'était écroulé sur son lit, emporté par le sommeil avant d'avoir débusqué le nom consacré du village où vivait et l'attendait sa fiancée, Maryvonne, ou Yvonne-Marie — ou peut-être était-ce plus simplement Marie-Ève? Avant que ne le reprenne la brouillasse perverse de l'incertitude, il se leva, embrassa la dame sur les deux joues, et lui déclara, comme un compliment dûment réfléchi :

— Oh, merci, merci infiniment, chère, chère madame!

— Y a pas de quoi! À notre âge, c'est pas des trous qu'on a dans la mémoire, mais des précipices!

Cette fois, il s'adressa au guichetier avec, au fond de la voix, un sédiment de compassion. Après tout, le blondinet zélé ne pouvait pas savoir qu'avec le temps la recherche de lieux perdus était entravée par la routine et les habitudes, qui font qu'on a tant de mal à les retrouver.

— Un billet pour Bethléem, s'il vous plaît!

— Alléluia!

Au moins le commis avait de l'esprit et savait sourire bénévolement, la bouche relevée en coin, où bouillonnait un peu de salive.

— Faites vite, le train va décoller!

Sans se départir de sa boîte, ni de la sérénité qui désormais l'enhardissait, le vieux répondit :

— J'ai cloué de mes propres mains la moitié des rails qui font glisser ce train-là. Y peut ben m'attendre encore un p'tit brin.

Et il sortit sur le quai, d'un pas orgueilleux et flâneur de Jésus marchant sur les eaux. Pourtant, le vieux n'était pas au bout de ses surprises, comme de ses éblouissements. D'abord, le train n'était pas un train mais une interminable vipère de verre et de chrome, peinturlurée de bleu, de rouge et de jaune comme un dragon de carnaval, et qui ne crachait pas plus de fumée qu'un volcan refroidi. Il y monta comme on grimpe dans un manège de tombola, en se demandant s'il aurait le cœur assez solide pour supporter les secousses et les culbutes que cette machine infernale lui ferait endurer. Mais, à peine avait-il pris place sur le divan de salon qui avait inexplicablement remplacé la banquette de lattes de bois à laquelle il était accoutumé, qu'il se sentit charroyé surnaturellement, le regard hypnotisé par des champs, des fermes, des chevaux et des vaches qui ne tressaillaient pas plus qu'une image accrochée au mur. Lui-même ne frémissait pas, ni la boîte posée sur ses genoux, ni même le parapluie, couché sur le sol, qu'on avait imprudemment recouvert d'une paillasse de laine bleu ciel. « La plus petite goutte de café renversé risque de changer ce beau paillasson-là en torchon bon pour toiletter les chevaux », dit tout haut le vieux. Puis son coude heurta par mégarde une petite manette d'acier poli, qu'il avait prise pour une pince à cheveux oubliée sur la banquette par une voyageuse étourdie, et il chavira, se retrouva couché comme dans son lit et ferma les yeux, persuadé que sa fin dernière était arrivée et qu'il avait étourdiment pris place dans le convoi qui devait l'emmener au ciel ou en enfer.

Il s'endormit. Sa grande fatigue le rattrapait. Et puis il n'avait pas prévu le confort de nuage de ce wagon plus discret qu'un tombeau. C'est alors que le songe, à son tour, le rattrapa. Marie-Yvonne — ou Ève-Marie — descendait au ralenti l'escalier de la véranda, sa robe à fleurs caressant paresseusement ses cuisses, sa crinière d'éternelle promise ruisselant sur ses épaules comme une écharpe de soie rousse. Il sentit son cœur descendre tout au fond de sa poitrine, dans un lent tourbillon de remous dans la vase, et goûta son propre sang qui refluait à ses lèvres comme l'écume sur l'eau qui bout. Il se savait parvenu au comble du désir en même temps qu'au paroxysme de l'épouvante. Il ne tremblait pas, il tressautait, trépignait, piaffait comme l'étalon qu'on emmène grossir la jument. Autour de lui tournaillait un essaim de feuilles mortes, qu'il avisa soudainement avec terreur : la farandole n'était pas l'assemblage dansant de la feuillée décatie du chêne ou de l'érable, mais le ballet alangui des mille pages de tous ses calendriers qu'il avait pourtant brûlées, les unes à la suite des autres, imbécilement heureux de finir une saison et d'en commencer une autre, absolument insouciant du chaos où allaient l'entraîner sa hâte et sa folle espérance. Alors il comprit qu'il avait aimé dans un autre temps, une autre époque, terrifiante et heureuse, une ère impitoyablement révolue, au cours de laquelle il avait été le plus peureux, le plus arrogant et le plus lâche des amants. Quand il réussit à détourner les yeux de l'effrayant quadrille des années qui l'encerclaient, tel un fleuve céleste de guêpes enragées, il aperçut, sur la plus haute marche de la véranda d'autrefois, aujourd'hui en ruine, un emmaillotement de momie, tout en haut duquel grimaçait impitoyablement la face de sorcière de sa fiancée, tombée en éternité. Et il sut que tout était enfin achevé : son amour, son voyage, sa vie.

Il ouvrit les yeux sur le décor grandiose du wagon, qui désormais ne l'abusait plus du tout. Quand le contrôleur, en bras de chemise et délesté de sa casquette — ils ne la portaient plus depuis belle lurette, ça, le vieux tout à coup le savait — s'approcha de lui, à petits pas immatériels de servant de messe glissant sur le tapis de la nef, ce fut le vieux qui, devançant ce messager-là, benoîtement chargé de le ramener sur la terre et dans le temps présent, déclara, d'une vieille voix sans équivoque :

— Je le sais ! On est pas hier, mais aujourd'hui, et l'amour est défunt comme tout le reste !

— À qui le dites-vous, mon cher monsieur !

Le contrôleur saisit mollement le billet futile que lui tendit le vieux et le poinçonna machinalement, tout en clignant de l'œil, comme s'il était complice du coup monté, au même titre que les vaches et les chevaux immobiles dans la fenêtre et que la pompeuse décoration du wagon.

— Où est-ce que j'suis ?

— On arrive à Bethléem. Voulez-vous que je porte votre paquet ?

Le vieux baissa alors les yeux sur la boîte qui gisait dans l'allée, entre son parapluie entrouvert et son chapeau écrabouillé. Tout lui glissait des mains, comme s'il n'avait plus la force, éveillé ou endormi, de tenir ou de retenir quoi que ce soit.

— Ce sera pas nécessaire. Ce cadeau-là est comme le dedans de ma tête, y pèse pas une plume !

— Ah oui? Si je suis pas indiscret, qu'est-ce qu'y a au juste dans votre boîte?

— Rien.

— Rien?

Le bonhomme souriait, les sourcils tout en haut du front.

— Rien. Ou, si vous voulez, du temps. Du temps mort.

— J'en ai des boîtes, pis des boîtes de ça, moi aussi, plein la maison!

Ils éclatèrent de rire et gloussèrent longtemps de concert. Et puis, brusquement, le vieux se retrouva tout seul. Le train dépassa Bethléem, puis Nazareth, et le vieux, toujours seul, riait encore. Ou peut-être pleurait-il car, en retrouvant les champs, les fermes et les vaches, toujours extraordinairement immuables, mais à présent embrumés dans la fenêtre, il dit tout haut, d'une petite voix pointue:

— Tiens, y recommence à mouiller!

Une ruse

Je trouve que les événements ne sont pas variés; que les vices sont bien mesquins; et qu'il n'y a pas assez de tournures de phrases.

GUY DE MAUPASSANT,
lettre à Gustave Flaubert, 3 août 1878

Rosaline portait ses seize ans comme une robe de bal toute neuve mais déjà déchirée par les ronces. On l'apercevait partout et cependant on ne la voyait nulle part. C'était une enfant qui se faisait femme en un seul été, industrieuse et secrète comme la chenille qui devient papillon dans la pénombre chaude d'un sous-bois, où jamais ne passe âme qui vive. On la surprenait à tout moment qui jaillissait des branches, comme si elle sortait d'une petite maison invisible où elle serait allée prendre le thé, avec des cousines entrevues d'elle seule. On la regardait gagner en courant la rivière ou le champ, sa robe déchirée volant derrière elle comme une aile à demi arrachée, en ne trouvant absolument rien à nous dire pour conjurer l'inquiétude qui nous venait tout à coup de cette étrange solitude de bête toute seule dans l'univers. Alors on murmurait, le front appuyé à la fenêtre, ou l'épaule accotée à la porte :

— Le cœur a des mystères qu'aucun raisonnement ne pénètre.

Et l'on retournait pétrir la pâte à biscuit à la cuisine, ou démêler dans la remise la corde à foin. Tous les êtres ne sont pas aveugles dans les ténèbres, certains y voient même plus clair qu'en plein jour. Mais il faut bien admettre que chacun, dans la grande maison sous les saules, était pris de mal-voyance à l'endroit de Rosaline, qui gardait par-devers elle un secret indicible, et que peut-être elle-même ne connaissait pas. On dit qu'il n'y a pas de fumée sans feu. Mais qu'en est-il de l'incendie qui ne fume pas, du feu qui couve sous le tas de feuilles, de la braise qui rougeoie dans la cendre ?

Malgré la guerre imminente, les grandes vacances battaient leur plein. C'est-à-dire que, pour ceux de la ville, bourgeois, collégiens, gens du monde et patrons de bureau, avec femmes, enfants, serviteurs, bonnes et gouvernantes, c'était congé. On entassait, dans la benne d'une charrette qui avait dormi tout l'hiver sous une bâche, cinq ou six malles d'osier renfermant tout ce qu'il fallait pour pique-niquer, pêcher et lire allongé sur une chaise, et l'on montait vers le nord ou descendait dans le sud, selon le bon désir ou la frilosité de la famille, ou de la compagnie. Mais pour ceux et celles des fermes de Big River, c'était le gros ouvrage des foins, du sarclage, de l'arrosage, du camionnage des légumes au marché, du repiquage des choux et de la laitue, sous des nuées de moustiques qui vous trouaient la peau du cou et des bras comme une volée de plombs.

Car le pays était beau, mais dur. On n'avait pas grand loisir, tant il y avait à faire, de se passionner pour des fantaisies, à la manière de ces estivants qui voyaient se lever la journée dans une langueur bienheureuse, ne leur donnant pas d'autre souci que celui d'imaginer comment la remplir sans trop s'ennuyer.

Or Rosaline, qui avait seize ans et qui était bel et bien fille de ferme et de fermier, s'adonnait quotidiennement à la rêverie, ainsi que le maugréait son père, « comme une Cendrillon qui s'en-va-t-au-bal à dos de citrouille ! » Ce que le bonhomme ne savait pas, et devait toujours ignorer, c'est que sa Cendrillon avait déjà, et plus d'une fois, aperçu, en chair et en os, mais en chair surtout, son prince charmant.

* * *

Ici, l'écrivain s'arrête, car il a entendu, sur les pavés de la courette, le galop de la jument du maître de poste. Sa main tressaute et voilà que la plume fait un pâté, tout en bas de la page. Alors le gros homme gueule, tout haut, dans la petite pièce faiblement éclairée qui lui sert à la fois de cuisine, de cabinet de travail et de remise où ranger cannes à pêche, appâts et filets.

— Maudit village, où l'on n'est pas foutu de vendre des plumes qui ne s'empâtent pas !

L'affreux barbouillage sur sa feuille le navre, et aussi

l'odeur de poisson dans la pièce, de même que le désordre, autour de lui, d'assiettes, de bouteilles, de livres aux pages gondolées par l'humidité de cet atroce septembre normand, sombre et mouillé, lors même qu'il avait tant besoin de soleil et de vent.

— Pourtant l'histoire venait bien... Quoique ce voisinage avec la bluette de Perrault... Et puis quelle idée de situer mon conte en Amérique?... «Ce pays vague où l'on va faire fortune et dont on ne revient jamais...» Il me semble que j'ai mis ça dans *Une vie*, non? Oui, bon, glissons, glissons!... Ce roman-là est resté en sommeil plus de deux ans, c'est tout dire!... Tout de même, un beau travail logique, serré, frugal, sans complaisance...

Le père Coutelier cogne au carreau de la petite fenêtre, toujours le même, barbouillé d'herbe et de boue. L'écrivain se lève, lisse, frotte et brosse à la fois ses grosses moustaches hirsutes, d'une main tachée d'encre, aux doigts pailletés d'écailles de poisson. Puis il tire sur la petite ficelle, noire d'huile et de jus d'anguille : aussitôt le carreau s'entrouvre et la lettre glisse. Avant même qu'elle ne s'étale sur le sol de terre battue du cabanon, Maupassant a reconnu l'écriture de «l'oncle Bovary», et son humeur chute encore d'un cran. Il salue le facteur d'un coup de chapeau fantomatique et referme le carreau, d'un geste tranquille et pourtant rageur.

— Qu'est-ce qu'il me veut encore, l'Hénaurme?...

Mais, soit sa curiosité ne l'emporte pas sur sa soif, soit l'écrivain redoute l'odieux bavardage «fraternel» de Gustave, où les sages conseils s'emmêlent sournoisement aux réprimandes les plus âpres, Maupassant ne s'accroupit pas pour attraper la lettre. Imitant la voix tonitruante et hypocritement joyeuse de Flaubert, il s'exclame, tout en versant de l'absinthe dans son verre :

— Gis donc un peu, toi qui fais tant gésir les autres !

Et il rit, très fort, à faire trembler les carreaux et les verres. Il sait bien qu'il s'esclaffe, tout seul, exactement comme il éclate de joie avec son oncle, les soirs où Gustave et lui trempent de concert leurs moustaches dans la bière et déraisonnent, délirent et conspuent le bourgeois, qui ne sait ni vivre ni lire.

Soudain, un maigre rayon de soleil traverse la fenêtre grise et vient allumer au fond de son verre une belle lueur émeraude, qu'il avale d'un trait, en même temps que la liqueur au joyeux goût de sucette à la réglisse. L'humeur de l'écrivain se bonifie, s'épure, se sanctifie sur-le-champ. Il pourra, tout à l'heure, mettre la barque à la mer, respirer à pleins poumons les embruns salés, roupiller tout son soûl, sa canne sous les fesses, son cœur enfin tranquillisé, sa cervelle miraculeusement désencombrée de tous les soucis de sa gloire, comme de ses hantises de la chair de femme, de ses coups de désir effrayants et qui ont, depuis peu, inexplicablement partie liée avec la mort.

— Avant la mer, avant la pêche, avant le bel oubli, mon histoire ! D'ailleurs elle sera courte. Forte, mais courte ! Je la bâcle et j'appareille !

Aussi soudainement que sort le soleil des nuages, l'écrivain est content, lui qui ne voit plus que d'un œil, passe quasiment toutes ses nuits à baigner dans le jus de son corps en fièvre et, plus souvent qu'à son tour, devine la faucheuse, debout sur la falaise, entre chien et loup, qui l'espère et l'appelle. Il est pour l'heure très gai, puissant, quasiment festif. Il retourne s'asseoir à la petite table bancale, où l'attend Rosaline et son amour de petite animale ombrageuse. En sauçant le bout de sa mauvaise plume dans l'encre d'un beau bleu marine qui le réjouit, l'écrivain avise la lettre et marmonne :

— Je l'aime bien quand même, le vieux cochon de Saint-Antoine, mon parrain, évêque du vouloir et de la servitude…

Souriant dans ses moustaches, l'écrivain reprend le fil, qui sort de sa plume, songe-t-il, « comme le fil à soie du cul du ver du même nom. »

* * *

C'était un grand jeune homme efflanqué, avec un visage allongé et féroce de chat sauvage, qui ne marchait pas mais dansait entre les arbres, son épaisse tignasse rousse lui battant les épaules, sa tunique déboutonnée fouettant son flanc comme la cape d'un mousquetaire volant au secours de sa reine assiégée par les brigands. Les galons déchiquetés qui voletaient comme des papillons sur ses épaules montraient que ce court-les-bois était, ou à tout le moins avait été, ni plus ni moins que lieutenant dans un bataillon de ces confédérés qui, depuis peu, descendaient en longues cohortes vers le sud, afin d'arracher aux esclavagistes ces terres alanguies aux noms de vieilles jeunes filles faisant la sieste sur leur véranda, Louisiane, Virginie et les deux Caroline.

Pour Rosaline, bien sûr, ce déserteur-là n'était qu'un beau rôdeur chevaleresque, tout droit sorti de ce songe d'amoureuse sans amour qui, depuis quelque temps, lui tenait lieu d'espérance. Cachée derrière un arbre, accroupie dans l'ombre d'une futaie, elle épiait les galopades journalières du garçon. C'est ainsi qu'un matin elle le vit, nu, sortir de la rivière, sa peau d'un blanc de farine tachetée d'une jolie neige de son, sa crinière pareille à du feu dans l'eau, son regard plus pâle que la lueur de l'aube entre les branches. Elle tomba sur la mousse, comme la perdrix abattue par le chasseur. Quand elle revint à elle, ce fut pour apercevoir la rivière toute seule, mais où s'agrandissaient des ronds et murmuraient des clapotis attestant qu'elle n'avait pas rêvé la divine apparition. Le lendemain, elle s'enhardit et sortit de la broussaille, juste comme le baigneur revêtait sa tunique. Mais, peut-être le garçon crut-il à quelque bête sauvage remuant dans les buissons, ou encore était-il plus myope qu'une taupe, il ne distingua pas du tout Rosaline, blême et raide comme une statue, au beau milieu des herbes. Il paraissait n'avoir d'yeux que pour le ciel et l'eau, où son image tremblait doucement. Empoignant sa lourde chevelure aux reflets d'incendie, il la tire-bouchonna dans ses poings et la tordit à la manière d'une lavandière essorant un drap. Curieusement, cette gracieuse gesticulation de lingère ne dévirilisait pas ce garçon-là, mais l'apparentait, au contraire, aux bergers adorables des images d'Épinal. Rosaline, contre toute attente, n'éprouva pas de honte à être inaperçue de la sorte. Elle se dit même que l'apparition, ce devait être elle, et que le garçon avait dû la voir sans en croire ses yeux. « Puisque personne jamais ne me remarque, pas même mon père ni ma mère, quand je roule la pâte ou file la laine à leurs côtés, il va sans dire qu'un parfait inconnu… » Elle n'alla pas plus loin, ne chercha pas d'autre cause à l'étrange aveuglement du garçon, et revint le lendemain, vêtue de son jupon seulement et d'un corsage de filoselle, plus diaphane qu'un filet d'eau. Il n'entrait aucune coquetterie, aucun désir de séduire ou d'affriander dans l'entreprise de cette fille, par ailleurs plus pure que le feu du plus rutilant des joyaux. Simplement, elle voulait que sa chair soit d'égale à égale avec celle du garçon. Elle voulait surtout qu'il l'avise, et peut-être lui parle, qu'il élucide, d'un coup d'œil ou d'une parole de vivant, cette fascination surnaturelle où elle avait si peur de se perdre. Car elle savait bien qu'il lui arrivait parfois de s'abîmer dans ses jongleries, de s'égarer dans des colloques avec des personnages vraisemblables mais tout de même inventés. Peine perdue : cette fois encore, le garçon roux regarda à travers elle comme au travers d'un banc de brume et boutonna sa tunique en dévisageant les nuages dans le ciel.

Alors Rosaline, qui n'avait encore usé d'aucune perfidie pour qu'on en vienne à la considérer, conçut un stratagème où il entrait un tel danger, une telle intrépidité, qu'elle en frissonna au gros soleil…

* * *

— Où est-ce que je m'en vais, moi, avec mon « joyau rutilant » et ma « perfidie frissonnante » ?

L'écrivain adresse son exaspération, aussi bien au ciel redevenu sombre, à sa maudite plume qui crache, qu'à son propre talent, qu'il considère tout à coup insuffisant et dérisoire. Il sue à grosses gouttes dans son étuve et il a soif comme s'il avait mangé du jambon trop salé, lui qui n'a rien avalé depuis le matin qu'un quignon de pain trempé dans du café tiède.

— Je m'étiole et m'ennuie et tout conspire à me nuire!

Il sourit dans ses moustaches et c'est un sourire effrayant. Quiconque serait assis en face de lui confondrait à coup sûr ce sourire-là avec une vilaine grimace de dégoût.

— Tant pis, je pêcherai demain! Mon histoire était attendue avant-hier et j'ai bu et mangé déjà les misérables cent francs! Encore une douzaine de phrases et je perds Rosaline. Ou bien je la sauve? Cette ruse... Que pourrait-elle bien être, au juste, cette ruse?

Il se lève et marche jusqu'à la petite fenêtre, étroite et crépusculaire comme le soupirail d'un cachot. Là-bas, sur le chemin et sous les nuages, se promène Rosaline, la vraie, qui n'est pas du tout pure comme l'eau d'un joyau et qui se donne à lui, de temps à autre, l'après-midi. Il n'aurait qu'à ouvrir la porte de l'oubliette et à pousser un cri, ou bien simplement à siffler, et Rosaline — qui n'a pas seize, mais dix-neuf ans, et qui ne les porte pas « comme une robe de bal toute neuve et déjà déchirée par les ronces », mais bien comme une tunique d'infamie — accourrait, dénouant pour lui les bretelles de son corsage et libérant ses seins « d'un blanc de farine, tachetés d'une jolie neige de son. » Car, inexplicablement, c'est au déserteur roux et inconsistant de son histoire que l'écrivain a prêté la couleur de peau de sa jeune maîtresse.

L'écrivain ne sifflera pas, n'ouvrira pas, n'aimera pas Rosaline sur la paillasse qui lui sert de lit. Il est sans talent et sans désir, il est misérable et penaud, il est bêtement désespéré.

Tournant le dos à la petite fenêtre — « cet atroce hublot de cale de navire, où je fais figure de galérien à demi mort d'épuisement et surtout de soif ! » — il revient vers la table. Est-ce en apercevant Rosaline, la vraie, sur le chemin, que l'idée lui est venue ? Ou bien n'est-ce pas plutôt que, quoi qu'il fasse, quoi qu'il écrive, à présent, l'allégorie de la mort conclut pour ainsi dire toute seule et d'elle-même tous ses récits, de même que presque toutes ses machinations de « vieux bon vivant » ? Peu importe, pour l'heure, sauf qu'il a trouvé. L'écrivain ne se soucie pas davantage de la genèse de son inspiration que sa Rosaline ne remet en question l'origine de l'extravagante finasserie qu'elle prépare, à l'aveuglette, en bonne fille innocente mais délurée qu'elle est.

— Oui, oui, une femme, même une fille, et même innocente comme la lune, est capable de cette singerie sublime !

L'écrivain avale une dernière rasade d'absinthe — la bouteille vide dégringole, sans un bruit, sur le sol — et saisit à nouveau la plume, d'une main tremblante et néanmoins résolue. À peine jette-t-il un coup d'œil à la lettre, qui gît par terre, et qui attend, attendra.

— Je ne sauverai ni ne perdrai Rosaline, mon oncle ! Et cela te fera plaisir, tu verras ! Toi qui ne cesses de répéter qu'il faut être « raide de fond et embêtant pour le bourgeois ! »

Tout de même, la lettre le chagrine, il ne saurait dire pourquoi. Il lui semble tout à coup qu'il ruse avec elle, comme Rosaline avec son déserteur, comme lui-même ruse avec son propre talent, qu'il tâche de prendre de court, de devancer, avec lequel il finaude, comme avec le poisson qui refuse de mordre. Et puis voilà qu'un pâle rayon de soleil tombe sur ses pages et aussitôt l'écrivain, oubliant sa morosité, se rappelle une phrase, composée autrefois pour célébrer le retour de l'espérance dans le cœur de son héroïne : « Peut-on, malgré la vigueur acharnée du sort, ne pas espérer toujours, quand il fait beau ?... » Et sur cet élan, qui lui redonne sa jeunesse, tout en faisant reculer l'effroi de sa mort et « l'embêtement radical » de sa gloire très exagérée, l'écrivain se remet au travail.

* * *

Rosaline attendit le bien-aimé avec une impatience sensuelle qu'elle confondait avec la hâte folle de prendre le garçon à son piège, pour l'instant plus incertain encore que la brise du matin. Toute la nuit, elle avait joué sa scène, n'omettant aucun détail, contrefaisant en silence, dans la nuit de sa chambre, les langueurs et les tressaillements d'Ophélie, qui était son modèle.

Chaque cœur, bien sûr, s'imagine tressauter avant tout autre et méprise souverainement le pressentiment du mauvais pas. Et puis Rosaline se savait chaudement protégée. L'épaisseur de sa joie étouffait l'inquiétude de son âme. Et, si elle frissonnait, c'est d'abord qu'elle était nue, et ensuite qu'elle était entrée dans l'eau jusqu'aux cuisses. N'étant pas sirène encore, la jouvencelle s'épeurait des écrevisses, des serpents d'eau et des algues gluantes, que son présage nocturne avait négligé de lui montrer. Elle faillit renoncer vingt fois et désira si fort, à certain moment, sortir de la vague et regagner la paix chaude du sous-bois, elle crut son projet si monstrueux et sa témérité si mortelle, qu'elle ferma les yeux et pria désespérément un Dieu qui, depuis toujours, ne semblait pas l'apercevoir davantage que son père, sa mère et le beau garçon roux qu'elle espérait.

C'est alors qu'elle entendit un premier craquement dans les branches. Aussitôt, elle tourna la tête vers le soleil et sut qu'elle serait follement heureuse, désormais, sur la terre où se levaient de pareilles aurores. Il lui semblait que son âme tout à coup s'élargissait et comprenait des choses invisibles. Ce serait bientôt la fin de cette continuelle agitation de ses espérances et Rosaline, qui était prête à mourir pour enfin commencer à vivre, s'élança dans le flot sans limites, où elle disparut comme un billot qui s'enfonce. Elle se sentit presque tout de suite devenir vie, lumière, eau, sable, herbe et rocher, mais aussi air, bête, étoile, Dieu et femme en même temps. Elle se sut périssable et immortelle, plus visible encore d'être ainsi invisible que Jésus mort, ressuscité et monté au ciel. Elle perdit encore un peu de son air, descendit s'allonger sur le sable doré du haut-fond et attendit encore, écoutant en elle-même une voix qu'elle connaissait bien et qui disait : « À ce moment précis, il déboutonne sa tunique… Là, il noue d'un geste gracieux sa tignasse… Maintenant, il entre dans l'eau… » Elle compta trente battements de son cœur affolé, aperçut une première jambe opalescente, puis l'autre et, sentant qu'elle avait épuisé sa réserve de souffle, elle se donna une poussée du pied et creva la surface, dans un discret tumulte de truite montant gober la mouche. Le garçon, cette fois, l'aperçut. Mais Rosaline n'eut pas un regard pour lui, peut-être même n'entendit-elle pas son cri d'épouvante. Il était trop tôt, elle n'était qu'au commencement de sa pantomime redoutable. Elle connaissait, bien mieux que son adoré, la fougue et la tranquillité de la rivière, et sut donc précisément où se laisser couler à pic, après avoir poussé sa clameur de presque noyée. Aussitôt, une main frôla sa cheville. Elle embrassa de toute sa force le courant et s'échappa comme la carpe agacée par l'hameçon. Elle émergea sous la branche d'un saule, hurla au secours encore, et replongea. Cette fois, elle avait risqué une œillade en direction de son poursuivant, de son sauveur. Debout dans le courant, il brassait éperdument l'eau devant lui, comme l'orpailleur agite la boue pour apercevoir l'improbable pépite d'or. Rosaline en fut toute brûlante de joie, et c'était une joie abominable, de celles dont on jouit trop ardemment, dans la tourmente d'un crime ou d'un vice. Elle se dit : « Il faut que je m'arrête, à présent ! Il m'a vue, il me cherche et il a peur… » Mais elle nageait toujours, fendant l'onde comme la murène au temps du frai, absolument impuissante à cesser le jeu méchant, tant il la réjouissait et l'effarouchait à la fois. Elle surgit, une fois encore, tout près d'un rocher et avisa la tunique du garçon, gonflée d'eau, et qui faisait une sorte de ballon bleu ciel, entre deux vagues. Alors Rosaline, qui venait d'être heureuse et de souffrir autant qu'en ses plus beaux rêves et ses plus grands chagrins, de guerre lasse leva le bras, tel le dernier fantassin sur le champ de bataille qui hisse le drapeau blanc afin d'avoir la vie sauve, au grand péril de son orgueil. Mais la tunique bleue, qui flottait au large, ne remuait plus du tout, telle la voile tombée d'une barque brisée par le récif…

* * *

— Ah! Non! Pas cette fois! Pas encore la mort! Ce n'est pas du tout ce que je voulais, sacré bordel de Dieu! Je voulais... Je voulais...

L'écrivain veut, voudrait, peut-être, la joie désordonnée d'une étreinte, sur le sable, sous le vent, un accouplement sauvage et magnifique, à la nuit tombée, une fin inouïe, transcendante. Ou alors, s'il fallait à tout prix que l'anéantissement fût de la partie, quelque chose d'aussi beau, d'aussi violent et d'aussi fort que la chute dans le ravin de la cabane ambulante du berger, à la fin du deuxième tiers de son roman *Une vie*, et qui s'achève ainsi, de manière toute simple et peut-être sublime : «... ces restes d'êtres qui s'étaient étreints et qui ne se rencontreraient plus ».

— Ah et puis merde pour le chic racinien! J'ai soif! Et naturellement, la bouteille est vide!

Elle gît, la bouteille, sur le sol, tout à côté de la lettre. Alors l'écrivain, après avoir lancé sa plume au fond du hangar, s'accroupit pour saisir la lettre. Il la décachette, à l'aide du poignard de pêche qu'il garde toute la journée fourré dans son ceinturon, comme un pirate d'opérette. Deux billets glissent sur le sol, un grand et un petit. Il lit d'abord le grand, persuadé que son oncle a concocté pour lui un long palabre, mi-louange, mi-sermon, avant de s'aviser qu'il lui restait encore du miel ou du fiel à donner.

Croisset, 2 mai 1880

Jeune impur,

Tu as raison de m'aimer, car ton vieux Polycarpe te chérit. Et malgré cela, tu te lamentes, mon bien cher fils ? « Les événements ne sont pas variés. » Cela est une plainte réaliste, et d'ailleurs qu'en savez-vous ? Il s'agit de les regarder de plus près. Avez-vous jamais cru à l'existence des choses ? Est-ce que tout n'est pas illusion ? « Il n'y a pas assez de tournures de phrases ? » Cherchez et vous trouverez !

Il faut, entendez-vous, jeune homme, il faut travailler plus que ça. Trop de putains, trop de canotage ! Vous êtes né pour faire des vers, faites-en ! Tout le reste est vain, à commencer par vos plaisirs et votre santé. (La mienne va comme elle peut, c'est-à-dire assez mal, mais glissons : tout mon temps est consacré à la muse, laquelle est encore la meilleure garce !)

Et prenez garde à la tristesse. C'est un vice, on prend plaisir à être chagrin et, quand le chagrin est passé, comme on y a usé des forces précieuses, on en reste abruti. Alors on a des regrets, mais il n'est plus temps. Croyez-en l'expérience d'un scheik à qui aucune extravagance n'est étrangère.

La poésie, comme le soleil, met de l'or sur le fumier. Tant pis pour ceux qui ne le voient pas ! Tu voudrais, tu voudrais ! Mais avec une pareille tournure, on peut aller indéfiniment tant qu'on a de l'encre ! Jeune homme, tu es archi-goutteux, ultra-rhumatisant et totalement névropathe !

Et je suis, quant à moi, dans un état d'exaspération impossible à décrire. Je ne t'en dis pas plus. Hier soir, j'ai relu Boule-de-Suif et maintiens que c'est un chef-d'œuvre. Tâche d'en faire une dizaine comme ça et tu seras un homme !

Nous nous verrons, peut-être la semaine prochaine, si tu

le veux bien, et si ton maudit canot et tes fermières dégrafées veulent bien te laisser tranquille!

Il souffre un peu — peut-être même beaucoup —, ton vieux, et là-dessus il t'embrasse.

Le festival manquera de splendeur si je n'ai pas mon disciple,

Ton archi-archevêque d'oncle.

G.

— Le vieux Gaulois radoteur!… Mais qu'est-ce que c'est que ce spectacle qui, sans moi, manquera de splendeur?…

Impatient — mais très légèrement — de connaître, peut-être, le fin mot de l'énigme, l'écrivain déplie le second billet, et reste un bon moment ébahi. Il a reconnu l'écriture de Caroline, la sœur de son oncle.

Croisset, 8 mai 1880
Monsieur,
Mon frère ne veut rien vous dire, mais il est pour ainsi dire à l'agonie. Accourez! C'est, m'assure le docteur, pour d'un jour à l'autre! Gustave ne sait pas, et doit continuer d'ignorer, que je glisse ce billet dans le pli de sa lettre. Vous savez comme il est, jamais il ne me pardonnerait pareille intrépidité, qu'il s'empresserait de nommer faiblesse, ou même malveillance. Mais le mal empire d'heure en heure. Le pauvre homme dort sans cesse, et s'il s'éveille, c'est pour délirer et s'en prendre à moi, ou à mon mari, comme si l'un ou l'autre était l'ange de la mort qu'on envoie le chercher.

Venez, sans perdre de temps, je vous en prie. Je sais qu'il vous veut à ses côtés, sans oser vous réclamer. Celui qu'affec-

tueusement vous appelez votre « chère et grande figure » vous voit partout sans vous voir, et sans cesse vous parle, sans que vous ne l'entendiez. Venez vite !

Votre toute dévouée,
Caroline Commanville

Jamais ne fut achevée et ainsi jamais ne parut l'histoire de Rosaline et de son déserteur. Un peu plus tard, Maupassant donnera son titre, *Une ruse,* à un très court récit, ironique et très noir, relatant l'effrayante fourberie d'une femme forçant un brave médecin de famille à disposer du cadavre de son amant, au su et à la vue du mari.

Comme il se devait, il appartint à Maupassant, arrivé à Croisset le soir même du décès, de faire la toilette du mort, comme un fils.

La chaleur du réel

*Comme nous jouons tous peut-être les uns avec les
autres, à travers la vie, à tâcher de nous rencontrer…*

GABRIELLE ROY, *La Route d'Altamont*

Mont-Laurier, le 12 septembre 1966

Chère madame,

Je ne sais pas comment commencer cette lettre, tellement je suis émue et confuse. Je viens d'achever la lecture
de votre dernier roman où, dès les premières pages, vous
écrivez : « On est puni par où on a désiré, toujours. » Alors
vous imaginez mon trouble et ma gêne d'oser vous approcher, même de loin…

Il m'a fallu beaucoup de temps, de « jonglage », et de
volonté, moi qui ne suis jamais sûre de vouloir vraiment ce
que je veux ! pour simplement imaginer que j'allais vous

écrire. Et puis, maintenant que j'ai commencé, il me semble que cette lettre n'est pas une première lettre, qu'il y en a eu d'autres avant, que je n'ai pourtant pas écrites et que vous n'avez pas lues, mais qui ont tissé une espèce de foulard, un grand châle, où nous sommes toutes les deux rassemblées… Mais je vais beaucoup trop vite.

La femme épanouie et simple que vous êtes, et qui est si chaleureusement présente dans vos livres, comprendra la plus très jeune femme, incertaine et compliquée, têtue et peureuse, qui aujourd'hui ose débarquer chez elle avec ses gros sabots. C'est là toute mon espérance et j'espère qu'elle saura justifier mon audace à vos yeux.

Vous comprenez bien que j'ai tant médité ma missive qu'elle a déjà, je m'en rends compte, un style raide et ampoulé, qui n'est pas du tout mon naturel. Mais c'est que mon naturel, voyez-vous, contrairement au vôtre, ne coule pas de source. Il y a tant de causes et de raisons, fausses sans doute pour la plupart, à cette gêne qui se retrouve dans tout ce que j'entreprends, que je vais rarement jusqu'au bout de mes résolutions, quelles qu'elles soient. Aujourd'hui, considérez que j'ai un courage de sainte, ou de folle, et tâchez de me lire jusqu'à la fin. Et ne me répondez pas, si mon bavardage vous fatigue (il m'épuise moi-même !) Le simple fait de vous parler, quasiment comme on chuchote dans la grille noire du confessionnal, déjà me fait du bien.

Je devrais écrire « comme on chuchotait », car on ne se confesse plus, de nos jours : on vit ses fautes à ciel ouvert. On exige que Dieu et diable se mettent ensemble pour accorder une étrange absolution à tous nos manquements impardonnables.

Mais, soyons « cohérente », pour employer un mot « dans le vent », et que je ne suis pas sûre de comprendre. Comment être honnête, rigoureux, « cohérent », quand, comme vous l'écrivez si bien, chacun a affaire, dans le plus secret de son être, à cette « indifférence à notre égard de notre propre pensée » ?

Mon histoire pourrait se résumer comme suit, sujet pour une courte nouvelle, peut-être l'un de vos récits, si ardents et si clairs : une jeune fille, que sa famille rendait malheureuse, entre au couvent, se fait religieuse comme on se fait clocharde ou fille de rue, par désespérance, passe ses très longues journées à faire la classe à des cabochons et des saintes nitouches de campagne puis, un jour, aussi brusquement qu'elle l'avait pris, lance aux orties son voile, et renie ses vœux, persuadée que Dieu ne l'a pas davantage abandonnée qu'il ne l'avait sauvée autrefois, puis, devenue presque femme, athée, chaotique et enragée, elle tâche de faire des phrases pour tenter d'exprimer le grand désappointement de son existence gâchée…

J'ai fait et refait cent fois la longue tirade que vous venez de lire. Il s'agit de la toute première phrase, inexacte, approximative, d'un récit dont j'attends encore la suite, qui ne daigne pas venir. Je vous l'ai dit : rarement vais-je au bout de mes démangeaisons, comme de mes ambitions.

Pourtant… En lisant votre œuvre, il m'a semblé que mes désirs n'étaient pas morts, que n'était pas enterrée ma témérité. Vous écrivez (j'en tremble encore !) : « Ainsi avons-nous vécu là-bas, comme au reste un peu tout le monde, j'imagine, sur la face de la terre, peu satisfaits du présent, mais en attente toujours de l'avenir, et au regret souvent du passé. Et béni soit le ciel qu'il y ait malgré tout, de chaque côté de nous, deux portes ouvertes… » Ces mots-là! Ces mots-là, et je sens la tourterelle de l'espérance ouvrir de nouveau ses ailes dans ma poitrine!

Je m'arrête ici. Je sais que j'en ai trop dit, ou pas assez. Encore une fois, je n'achève pas ce que j'ai commencé. C'est que je pleure, à présent. Ces larmes-là me viennent bien trop facilement, j'en ai peur. Peut-être ne sont-elles que « pleurnichements de femelle hystérique »? C'est ainsi que les désigne, en tout cas, ma compagne, qui m'aime, paraît-il, assez pour être impitoyable avec moi.

Oubliez cette lettre. Ou plutôt déposez-la au fond du tiroir où vous rangez vos vieilles photographies, celles de votre belle jeunesse sous le grand ciel de l'ouest, et sans doute aussi les pages à recommencer de vos livres, si achevés et si bienfaisants pour moi.

Avec toute mon admiration, bien sûr, et ma reconnaissance,

Éveline Vaillancourt

* * *

Québec, le 3 octobre 1966

Il ne fallait pas écrire votre adresse au dos de l'enveloppe, chère Éveline Vaillancourt qui vient de loin! Vous m'en avez, en effet, à la fois trop et pas assez écrit. Et malgré cela, ou à cause de cela, vous m'avez étrangement émue. On entend souvent l'écrivain affirmer qu'un seul lecteur attentif et qui avoue avoir été bouleversé par un livre, un paragraphe, ou même une phrase ayant par hasard coulé de sa plume, suffit à donner à celui-là la force de persévérer. C'est un peu simple, bien sûr, mais c'est vrai. Dans la mesure où la vérité nous est, par-ci, par-là, donnée à voir, cette vérité-là est indiscutable pour moi.

Mais voilà que je suis prise, à mon tour, d'une gêne bien curieuse. Mais moi, je connais la source de mon étrange embarras : c'est que vous écrivez si bien, maîtrisez si adroitement un français qui restera toujours pour moi un outil malaisé à manier, comme une sorte de crochet pour dentellière, alors que je ne sais pas même tricoter, avec deux pauvres aiguilles et une maigre pelote de laine.

Et puis votre détresse, surtout votre détresse, l'aveu de votre détresse m'a déchiré le cœur. Parce que je sais ce que c'est que de croire et de douter, parfois dans la même interminable minute, et aussi de se lancer dans l'écriture, tête la première et pleine d'une terrible espérance, pour aussitôt voir s'arrêter votre main sur le papier, comme une mécanique épuisée.

Il me faut vous apprendre, au risque de vous désabuser brusquement, que je ne suis « épanouie » et « simple » que dans l'idée que vous vous faites de moi, ma pauvre Éveline. La moindre de mes phrases, comme le plus ordinaire grouillement, dans une vie de tous les jours qui ressemble, j'en suis presque sûre, à vos anciennes et pauvres heures au couvent, nécessite une générosité et un courage que je sais bien ne pas posséder. Je suis, comme le disait mon père, lui-même fatigué de sa longue existence de court-les-chemins, « portée à sauter tout de suite au déjà-je-l'ai », alors que je ne tiens au creux de ma main qu'une poignée de sable, qui me filera tout à l'heure entre les doigts. Papa disait aussi de moi que j'étais un «grand feu de petits fagots», chétive et maigriotte vivante aux yeux bien plus grands que la panse. Telle j'étais, telle je suis restée : une enfermée qui voit la liberté dans sa fenêtre et ne grouille pas de sur sa chaise, occupée à raconter «la vraie vie», à tout bout de champ arrêtée à attendre, à espérer je ne sais quoi...

Mais peut-être ne devrais-je pas vous parler ainsi, à vous qui paraissez en savoir bien plus long que moi sur les désirs incontentés qui nous laissent si imparfaits à nos propres yeux?

Simplement, je tenais à vous assurer que je suis, bien sûr, d'une certaine façon avec vous, blottie contre votre faible épaule, sous le grand châle dont vous me parlez. Et je colle tendrement ma bouche à votre oreille pour oser murmurer, comme un secret bien terre à terre mais tout chaud : Peut-être que cette difficile présence de Dieu, que je souhaite comme vous et qui me fait peur comme à vous, consiste en cette révélation quasiment muette, si simple, si naturelle et si grande pourtant qu'on ne sait trop qu'en dire, sinon : «Ah, c'est donc cela!»...

Prenez soin de ce vous-même qui a tant besoin de douceur et de paix. Je vous serre donc tendrement contre mon cœur,

Renée Duhamel

* * *

Chère vous, chère Renée,

Je n'avais pas osé espérer votre réponse. Elle a fait un long chemin, de Québec à Mont-Laurier pour ensuite me rejoindre ici, à Montréal où, sur un coup de tête, je me suis exilée, croyant échapper à mes terribles exaltations et à mes stupides frousses. Mais rien n'a changé, malgré ce tourbillon où je me suis jetée comme on se lance à l'eau, espérant en finir et peut-être recommencer.

Et puis votre lettre est arrivée, si froissée et si gondolée que je l'ai d'abord prise pour une dépêche d'outre-tombe. Il faut dire que je n'étais pas loin d'imaginer des fantômes et des revenants, recluse dans ma petite chambre, si pareille à mon ancienne cellule de couvent que je me croyais revenue à mes effrayants désirs d'extase et de sainteté, si étouffants, si irréels. Il faut croire qu'on n'échappe ni à Dieu ni au diable et surtout pas à soi-même, dans ce monde qui est fait ensemble d'enfer et de paradis.

Mais vous m'écrivez et j'aperçois des clartés. Je soupçonne une chaleur, je mets le bout du nez hors de mon deuil de vieille jeune femme perdue dans un univers en tourmente.

Renée, je ne veux pas que vous doutiez, je ne veux pas que vous soyez cette « enfermée qui voit la liberté dans sa fenêtre » ! Pas un seul instant vous ne devez dédaigner la chance inouïe qui vous est donnée de voir et de faire voir ! Même s'il vous arrive — et je sais bien que cela vous arrive, mon Dieu ! — d'être songeuse et triste, croyant avoir perdu l'insouciance qu'il faut pour vivre. Cette insouciance-là est un cadeau empoisonné ! Croyez-en celle qui vous écrit, qui s'aventure partout et qui, tout en désirant se trouver, se perd. Il n'y a pas d'insouciance et la chaleur du réel est un piège ! Le monde est aussi hostile qu'il apparaît chatoyant, et l'on y est vite déchiré et éparpillé, comme une brindille dans la tempête.

Il est fatal et il est bon que, comme vous l'écrivez si bien (je ne cesse de vous lire et de vous relire !), « nos joies soient longues à nous rattraper ». Méfiez-vous de l'impiété de vouloir toujours analyser. Il y a grand danger à sans cesse chercher à surprendre son propre cœur en flagrant délit d'incertitude. Celle qui vous écrit en sait quelque chose : à tant s'interroger, elle doute plus encore, elle sèche, elle ne trace pas une ligne, elle se fuit, elle sort dans la rue, à moitié folle de peur et de cette inespérance des âmes surmenées, justement, par d'innombrables questions pour lesquelles il n'existe sans doute pas de réponses. Je vous en supplie, pour moi, pour tous ceux et celles à qui vous faites si délectablement honte d'être aveugles et sourds, acceptez d'être « épanouie et simple », et voyante aussi, et même clairvoyante ! Les dispersés, les fourvoyés et les éparpillés vous parlent tous ensemble, ici, par ma voix : « Demeurez, *ad vitam æternam*, ce « grand feu de petits fagots » qui éclaire doucement nos pauvres vies d'errants ! »

Je suis sortie une minute sur mon petit balcon, où se balance tristement dans le vent un maigre érable, à moitié déplumé déjà. C'est encore un fantôme qui me parle, bien sûr, apaisant mon cœur trop emballé. Et, bien sûr, l'arbre, comme votre lettre, comme vos livres, comme ce quêteux croisé ce matin dans la rue, me fait pleurer. Se mêle à mon désarroi, à mes larmes, une joie qui ne se laisse pas facilement représenter. Elle a, je le sais, beaucoup à voir avec le bon cœur que vous avez de m'écrire, comme si vous me parliez, de faire, ne serait-ce qu'un tout petit peu, attention à moi qui parfois ne fais plus attention à rien ni à personne, tant tout me paraît impossible et vain.

Je pars la semaine prochaine pour un petit village de l'Ontario où, autrefois, mon père, un peu comme le vôtre, courait les chemins, tâchant d'extirper quelques pauvres piastres à des habitants miséreux, en échange de grosses machines agricoles qui me faisaient peur comme de monstrueux insectes ravageurs. Vous voyez, le destin nous a faites toutes deux sur un même modèle, celui de la « Canadienne errante, bannie de son foyer ». J'y serai, comme vous le fûtes autrefois, institutrice à la petite semaine, maîtresse d'école, appreneuse de b. a.-ba, et de deux et deux font — peut-être — quatre. Après tout, pourquoi pas? Et peut-être trouverai-je, dans le grand espace, au fond des bois, la ferveur de reprendre et peut-être d'achever mon écrit, dont le moins qu'on puisse en dire est qu'il ne coule pas de source.

Je vous aime. J'ai besoin de vous. Mais que cela ne vous « achale » pas. J'ai, disons, besoin de vous comme l'érable chétif devant mon balcon a besoin de vent, mais continue vaille que vaille à vivre, à faire sa sève et ses feuilles, quand la bise tombe.

Et pardonnez mon enfièvrement un peu querelleur. C'est que je ne peux pas vous laisser me désenchanter, moi qui ai l'âme qui s'élargit pour vous accueillir.

Quant à Dieu, qui nous occupe tant toutes les deux, sans daigner se montrer assez pour qu'on puisse le chicaner et pleurer devant Lui toutes nos déconvenues, disons qu'Il est, pour l'instant, cet écho qui répond quelque chose… Mais quoi?…

Avec toute mon affection, lointaine et proche,

Éveline Vaillancourt

* * *

Cap-aux-Oies, le 6 janvier 1967

Chère Éveline,

Si j'ai tant tardé à vous répondre, c'est d'abord qu'il y a eu les Fêtes, qui ne furent ni gaies ni tristes, mais tout de même un peu «insouciantes», vu que nous les avons subies ici, à Cap-aux-Oies, où la neige tombe doucement du ciel comme ces pétales que je lançais, enfant, petit ange pourvu d'ailes de carton agrémentées de plumes de poule, au Bon Dieu tout brillant dans son reposoir. Et puis il y a eu, et il y a toujours, l'effarement qu'a déposé sur mon cœur, comme une neige non pas noire mais tout de même un peu grise, votre lettre de Montréal. Je l'ai relue vingt fois, en songeant à quelque chose comme : Éveline croit sans faire tandis que Renée fait sans croire. Ou, plus troublant encore : Pourquoi la vie n'accorde-t-elle pas à celle qui peut ce qu'elle offre d'abondance à celle qui ne peut pas? Car, de toute évidence, vous êtes, Éveline, la clairvoyante et je suis l'égarée, la piégée. Celle qui vous écrit aujourd'hui, répondant à celle qui sait de quoi elle parle, sait elle aussi de quoi elle parle en vous déclarant : Telle personne qui peut passer pour avoir tout, comme on dit, pour être heureuse, peut être déchirée au-delà de tout ce que l'on peut imaginer. Et telle autre dont la vie a l'air bien pénible n'est peut-être pas aussi malheureuse qu'on pourrait le croire.

Néanmoins, bien sûr votre lettre m'a réjouie, au moins autant qu'elle m'a bouleversée. Elle ajoute une preuve de plus, et qui n'était pas nécessaire, à l'accablante évidence qui fait s'exclamer chacun, à un moment ou l'autre d'une existence qu'il n'a pas choisie : «Comme la vie est injuste!»

Cette époque est cruelle à tous points de vue pour ceux qui vieillissent. On y est vite mis au rancart. J'en sais quelque chose, en dépit des honneurs qui sont d'ailleurs comme une sorte d'enterrement et plutôt tristes quand ils coïncident avec moins de lecteurs. Une sorte de déclin. On dirait bien que ma gloire ne s'attache qu'à ce que j'ai été. Mais je ne veux pas me lamenter, surtout pas devant vous. Vous endurez un grand chagrin d'impuissance qui achèverait sûrement ma vie, si j'avais à l'endurer tous les jours. Déjà, l'écrivain que je m'efforce de demeurer, la romancière partagée entre son désir impossible de sainte solitude et son ardent besoin de solidarité, est souvent plongée dans de longs tête-à-tête rêveurs avec elle-même, d'où elle ressort comme une enfant des bois qui a aperçu le loup.

Je ne sais pas pourquoi j'ose vous confier, à vous et à vous seule, un désarroi qu'ignorent sans doute mes proches, et qui les effraierait, s'ils m'entendaient énoncer ce que j'énonce ici, déployant pour vous, mystérieusement, mon âme éberluée.

Voyez-vous, Éveline, il fut un temps où j'avais le cœur comblé et cependant tranquille, le sentiment d'être à ma place là où j'étais, occupée à vivre un bonheur inexplicable et cependant réel. Tout m'était alors aventure et je me félicitais tous les jours de cet apaisement qui me venait de ma soif de vivre. Et puis, mystérieusement encore (tout est mystère!), j'ai reçu le bizarre commandement de dire adieu aux lieux et aux choses, et de n'emporter avec moi de tout ce que je quittais que les mots, si pauvres à nommer l'élan perdu de vivre. Je fus bien longue à comprendre la nature exacte de cet appel, entendu comme un cri dans les branches.

Aujourd'hui que je tâche, en écrivant, vaille que vaille et si lentement, de retrouver la chaleur perdue du réel, je ne vis plus. Je suis, moi aussi, une recluse, Éveline, une carmélite qui voit sans répit, sur les murs de sa cellule, s'éployer les anciens paysages de sa joie.

Croyez-moi, vivez, même trop, même mal. Et vivez pour moi, vivez pour celle qui sait à quel point la vie, quelle qu'elle soit, est mille fois plus surprenante que celle qu'il y a dans les livres, y compris dans les siens qui vous touchent tant, les pauvres.

Comme vous, je m'arrête avant de pleurer sur cette page, qui est déjà bien triste. Je passe, disons, un mauvais moment comme, j'imagine, la ménagère ou l'institutrice épuisée, comme n'importe quelle femme qui en vient inévitablement un jour à se demander si Dieu est vraiment dans son ciel et ses créatures sur la terre.

Peut-être, aussi, ce lien entre nous, si singulier, si honnête, si clair, si proche d'un amour dont je ne me suis jamais sue capable, est-il trop fort, déchirant? Je ne sais pas. Nous connaissons trop bien, l'une et l'autre, je le sais, la clarté du jour et l'angoisse de la nuit, où l'âme, malgré toute sa bonne volonté est livrée au sentiment de solitude.

Pourtant ce ne sont pas les pensées de la nuit qui disent vrai et qu'il faut écouter, mais plutôt celles d'apaisement qui nous viennent avec le jour naissant. Mais il nous faut bien passer la nuit si nous voulons reconnaître la naissance du jour, n'est-ce pas?

Bonne année, donc, chère Éveline, et peut-être adieu. Comprenez, je ne sais pas si, dans mon désarroi, je saurais aller jusqu'au bout de la confiance folle que vous me faites.

Renée

* * *

Colborne, Ontario, le 21 janvier 1967

Renée, chère Renée,

Très bien, je m'engage à respecter un silence qui n'en sera pas un vraiment, pour moi, car il y a vos livres, où sans cesse vous vous adressez à moi, sans que vos autres lecteurs — qui ne sont pas si rares que vous croyez — soupçonnent ce « lien singulier, honnête, clair et… déchirant ».

Et puis, vous avez sans doute raison : je vous aime, bien sûr, dangereusement. Tout amour est effrayant. Les anges aux ailes tombées que nous sommes ne sont pas faits pour endurer sans mortification ce somptueux tourment. Moi-même je n'ai jamais su, non plus, aimer vraiment. Ce bonheur aigu, trop ample et presque incroyable, il me semble pourtant qu'avec vous… Mais je rêvais et, ce faisant, sans doute je vous faisais du tort. Il eût mieux valu vous déclarer d'emblée, au risque de ne jamais vous voir, de ne jamais vous entendre, que j'avais, pour votre beau visage d'Indienne sage, de squaw guérisseuse, une adoration particulière, bien avant d'ouvrir vos livres. Mais cette honnêteté-là ne m'est pas venue. Je n'ai pas voulu vous effrayer, peut-être, ou plutôt je n'ai pas voulu me faire peur à moi-même. Résultat : vous avez deviné quand même et, moi, je ne vous ai toujours pas vue.

Mais je vous ai entendue, et cette nouvelle tendresse s'est, petit à petit, substituée à l'aveugle « vénération charnelle », comme on disait autrefois de ces terribles élans du corps auxquels on obéit, apparemment en ne sachant plus ce que nous faisons. Dieu, encore une fois, ne m'a pas permis ce contentement-là, qui m'aurait peut-être perdue, et vous aurait peut-être perdue avec moi. Je dis Dieu, mais j'ai bien peur qu'Il n'ait pas eu un grand rôle à jouer dans mon adoration insensée. On répète partout, ces temps-ci, qu'Il est mort depuis belle lurette, ce Dieu-là, qui ne donnait jamais la permission d'aimer avec sa chair comme avec son âme. Et, oh ! comme je vous aurais aimée ! Sans doute trop, et sans doute si mal que je serais passée à côté de votre bonté, de votre vraie beauté, de votre clairvoyance.

Vous êtes, si je puis dire, davantage vos livres que vous n'êtes la femme que vous êtes. Et je suis votre lectrice bien davantage que je ne suis l'autre, votre impossible amie. C'est, pour nous deux, beaucoup mieux comme ça, j'en suis sûre, à présent.

Je vous ai troublée bien au-delà de ce que j'aurais voulu, bien au-delà de ce que j'avais espéré, dans mon désir de m'approcher de vous. Je ne sais pas si j'arriverai, un jour, à me pardonner ce tumulte que j'ai mis dans votre âme, comme on met le feu aux poudres. Une fois cet

incendie-là allumé, je m'y suis sentie si éclairée, si réchauf-
fée, que je n'ai plus voulu l'éteindre ni l'étouffer. Mais c'est
qu'il ne fallait pas, aussi, écrire de si beaux livres, des livres
si vrais, des livres si nécessaires !

Je ne vous écrirai plus et jamais vous ne me verrez. Que
cela soit dit, et fait, surtout. Je sais que je n'ai pas la force de
cet éloignement, et que c'est encore vous qui me la donne-
rez. Disons que je serai cette âme disparue à laquelle la
vieille âme lance à travers les années un appel tendre,
comme un écho : « Vois, je peux encore ressentir ce que tu
as ressenti, aimer ce que tu as aimé… »

Et je vous aimerai toujours, bien sûr.

Éveline Vaillancourt

✳ ✳ ✳

Cap-aux-Oies, le 18 octobre 1979

Chère Éveline Vaillancourt,

J'en ai mis du temps et des calculs pour vous retrouver !
Je pourrais quasiment dire que j'ai réappris toute ma géo-
graphie du Canada à tâcher de vous débusquer, comme un
chasseur le gibier rare ! C'est que vous l'avez roulée, votre
bosse, ma chère, et pas qu'un peu ! Et comme je me suis
réjouie, chemin faisant, d'apprendre que, faute de rédiger le
grand roman impossible qui vous hantait autrefois, vous
vous êtes lancée dans l'aventure la plus noble qui soit, celle
d'épauler notre jeunesse si désemparée dans l'éprouvante
recherche d'elle-même. Et puis, les journaux sont pleins de
vous ! Ma face de « squaw guérisseuse » apparaît bien

moins souvent que votre beau visage d'accoucheuse de destins, dans toutes les feuilles de chou de la province!

Vous aviez trop à donner pour n'offrir qu'à moi votre ferveur. Et puis vous aviez cette rage de vivre « pour vrai », ce courage désespéré et juste que nos jeunes ont aussitôt reconnue, dès que vous leur avez tendu la main. Je suis si fière de votre belle trajectoire, de votre ténacité, de votre grande vitesse de bardasseuse d'idées reçues, qu'un peu plus et j'accourrais vous prêter main-forte dans l'écrasante besogne à laquelle vous vous êtes attelée, comme la mère Courage à sa charrette!

Moi, je suis toujours à ma table, à soigner un équilibre bien fragile, mais aujourd'hui environnée d'une paix qui semble me revenir de très loin, d'une espèce de source au-delà de tout ce que je connais, de tout ce que j'ai vécu, vers laquelle j'ai dû marcher toute ma vie, sans vraiment le savoir.

Éveline, je sais que c'est à l'intensité d'amour qu'elle a su inspirer aux autres qu'une vie en fin de compte se révèle une réussite. La vôtre de vie en est une, et peut-être la mienne aussi. Je ne comprends pas mieux qu'avant le sens de la souffrance dans la création, mais cependant je crois apercevoir que c'est l'instrument par lequel nous sommes forgés, ou nous forgeons nous-mêmes.

Je vous félicite, je vous envie et je vous aime. Nous étions, l'une et l'autre, si tristes et si désemparées, il y a douze ans à peine, vous souvenez-vous? Eh bien, cette tristesse et ce grand découragement, qui paraissaient ne devoir jamais se lever, nous conduisaient, sans que nous le sachions, à la joie. C'était même le seul chemin qui pouvait nous y conduire, et qui était comme un sentier dans la fardoche.

Outre l'offrande de ces fleurs, très tard venues, mais que je prends grande joie à vous lancer à pleines brassées, ma lettre a une ambition toute spéciale. Je sais que je ne devrais pas m'embarrasser, peut-être, de vous demander ce que je vais vous demander, mais je tiens beaucoup à ce que vous soyez ma complice, dans le petit tour bien innocent que je prépare.

En fouillant dans mes vieux papiers, j'ai déniché, il n'y a pas très longtemps, un petit récit, maladroit et débridé, que je me suis mise aussitôt, vaille que vaille, à rafistoler. Il s'agit d'une histoire vraie, mais que j'arrange un peu, comme je l'ai toujours fait, de manière à brouiller des pistes, même si je sais bien que je ne trompe plus personne. Romancière un jour, romancière toujours, c'est-à-dire « menteuse qui dit la vérité » comme écrit, il me semble, Jean Cocteau. Et figurez-vous que j'ai eu envie de prêter à ma pauvre mère votre prénom si cher. Cette idée, venue je ne sais comment, non seulement ne me quitte plus, mais m'enthousiasme. Je crois même que la joie que j'éprouve à refaire cette petite récitation, grave mais toute simple, où il est question d'une sorte de retour aux sources à l'occasion d'une mort, me vient en grande partie de cet étrange désir, tout joyeux, de tracer souvent votre nom, en apercevant le visage de ma chère maman. J'écris, depuis que cette inspiration-là me travaille, comme si j'avais bu du vin chaud, un soir glacial d'hiver. Je songe même à glisser votre nom dans le titre. Et peut-être même que seront tendrement insérées, çà et là, et si vous le permettez, quelques-unes des si belles phrases de vos lettres, que je relis bien souvent, et qui me serrent le cœur.

Si cette idée vous offusque, ou simplement vous gêne,

je vais tout de suite y renoncer, cependant que bien à contrecœur. Vous, en allée de ma folle entreprise, il me semble bien qu'il n'en resterait plus rien qu'un amas de papier, bon pour envelopper les pommes d'hiver au fond de la cave.

Écrivez-moi vite un petit mot, qui dit oui ou non, simplement, pour me délivrer de ma rêvasserie un peu insensée, ou au contraire pour jeter de l'huile sur son feu. Mon âme, dans son espérance d'aujourd'hui, ressemble à cet oiseau qui entend du haut du ciel l'appel des voiliers migrateurs…

Toute mon affection d'hier et d'aujourd'hui,

Renée Duhamel

* * *

Montréal, le 22 octobre 1979

Chère Renée,

Permission accordée, et avec une joie quasiment surnaturelle! Mais la mère, la mère Courage, l'accoucheuse, c'est vous, n'en doutez pas! Nous aurons, l'une et l'autre, l'une avec l'autre, décidément fait beaucoup plus que jouer à nous rencontrer, à travers les années. Je n'ai pas vécu pour vous et vous n'avez pas écrit pour moi, et néanmoins nous avons fait ensemble quelque chose de plus beau qu'un livre ou qu'une folle aventure, non? Comme j'ai hâte de lire ce récit, où je serai un peu, et où vous serez entièrement, comme à chaque fois!

Grâce à vous, je me suis enfin rendu compte à quel

point j'étais petite au bord du déferlement de ma vie, comme vous, autrefois, droite et rêveuse, en bordure des grands champs de blé au doux mouvement oscillant.

Je vous aime. Travaillons bien toutes les deux, afin de retrouver, peut-être, ce sentiment et cette chaleur du réel, sans lesquels nous ne sommes vraiment pas grand-chose sur cette terre.

Très affectueusement,

votre Éveline Vaillancourt

Une histoire vraie

[...] l'éternel rêve que je caressais depuis toujours, illusoire et pathétique, de la plume triomphante, de l'écriture salvatrice.

MICHEL TREMBLAY, *Douze Coups de théâtre*

C'est le jour où Aline trouva une larve dans sa salade que je renonçai, provisoirement, à me faire écrivain.

La Méditerranée était du bleu exact du rêve que nous avions fait d'elle et le soleil de la Crête nous chauffait les épaules comme il le faisait chez nous, aux alentours de la mi-juillet, avec une férocité joyeuse et impitoyable.

Nous étions attablés, tous les trois, sous un parasol qui laissait tomber sur nous une ombre clémente. Le soir grec flamboyait au-dessus de nos têtes, dans ce silence inespéré, tragique, qui suit l'obsédant concert des criquets et des grillons, et qui ne s'arrêtait qu'au crépuscule ou, parfois, en plein midi, quand par hasard un nuage cachait le soleil.

Aline était maussade, « maraboute ». Le soleil divin, les trésors jamais perdus et pourtant retrouvés de la Grèce antique, la fraîcheur soyeuse de la mer d'Ulysse, de Lawrence Durrell et de Cacoyannis, rien de tout cela ne paraissait assez beau, assez grand, assez saisissant pour elle. Aline endurait la grande peine d'on ne savait quel délaissement, sans doute immérité, et dont elle ne nous parlait jamais. Sans doute méditait-elle un impossible avenir de Marie-Claire Blais ou même de Virginia Woolf, sans parvenir à imaginer par quel bout le prendre. Je caressais, pour ma part, le projet de devenir rien de moins que prix Nobel de littérature, comme de raison. Seul, de nous trois, Michel écrivait « pour vrai ». Lui avait su entailler, comme si de rien n'était et depuis un bon moment déjà, l'érable à la sève amère et sucrée qui poussait au fond de sa cour. Les mots coulaient de sa plume comme le soleil de la Crète tombait du ciel. Nous étions, Aline et moi, admiratifs, béats et légèrement envieux, il va sans dire. Il y avait quelque chose d'injuste, de beau et de triste à la fois, en tout cas d'admirable, dans ce que nous prenions alors pour une radieuse facilité, dans ce talent « naturel » que Michel avait eu la bonne idée de ne pas cacher sous les marches d'escalier de la rue Fabre, ou d'enterrer au pied de l'un ou l'autre des grands arbres du parc LaFontaine. Deux heures par jour, beau temps, mauvais temps, Michel nous fauchait modestement mais radicalement compagnie et, son petit calepin et son stylo dans son sac — jumeau du mien, une sacoche de corde tressée qui lui battait à longueur de journée les fesses, comme une sacoche de facteur remplie de bonnes nouvelles —, gagnait la chambre, non pas fraîche mais à tout le moins tiède, ou bien l'ombre d'un muret, où dégringolait fastueusement le bougainvillier, et écrivait. L'arbuste avait, avec Michel, une ressemblance qui me bouleversait : il était éclatant avec modestie, généreux avec vertige et en même temps extraordinairement fragile, délicat. Un écrivain prodige fait fleur, et qui me fascinait sur un joli temps.

Nous nous gardions bien, Aline et moi, de laisser transparaître nos démangeaisons de scribouilleurs n'ayant pas encore commencé à élaborer nos chefs-d'œuvre impérissables. Nous « sacrions » la paix à Michel et partions ensemble marcher sur la plage, ou bien nous asseoir sur la pierre chaude d'une dalle vieille de plus de vingt-cinq siècles, d'où nous regardions défiler les ânes très lents et les vieilles femmes en noir, qui passaient devant nous en maugréant, suppliant ou priant du bout des lèvres. Ni la bonne, l'antique et sage chaleur sous nos fesses, ni le ciel blanc, qui avait vu Électre enterrer son frère, Œdipe marcher avec un bâton sur un chemin de poussière et avait entendu les cris des grands oiseaux d'Aristophane, ne nous délivraient de l'inespérance de ce grand roman sans cesse entrepris, sans cesse différé, et qui ne paraissait pas vouloir éclore sur la terre de Kasantsaki davantage qu'entre les quatre murs de nos appartements surchauffés du Plateau-Mont-Royal. Le silence entre nous était de rigueur : une sorte de renfrognement indicible, une impatience qui était peine perdue, une prodigieuse indisponibilité à tout ce qui n'était pas ce beau fracas de la muse, semblable peut-être à celui de la mer sous nos pieds, et qui ne daignait pas encore nous visiter.

Michel, lui, assis à l'ombre et apparemment tranquille, écrivait. Aussi aisément que s'il était occupé à bâcler la rédaction de cartes postales destinées à des oncles ou des cousines qu'il n'entrapercevrait qu'au jour de l'an ou dans les fumoirs des salons mortuaires, Michel écrivait. Le soleil grimpait dans le ciel ou, au contraire, coulait dans la mer et Michel distraitement appliqué, rêveusement concentré — en tout cas facilement — écrivait.

Et c'est précisément cette humble, cette ardente, cette presque sage obéissance aux anges et aux démons de ses Atrides à lui — la tribu de la rue Fabre — qui nous émerveillait et nous épouvantait, Aline et moi, auteurs inconnus, et pour cause : nous songions à nos univers sans cesse et n'attrapions la plume ou le crayon que pour esquisser une phrase, généralement compliquée et trop longue, qui cherchait à contenir ni plus ni moins que la naissance, la vie, la mort, les rêves et les grands gestes héroïques de nos dieux à nous, plus difficiles à débusquer que les Thérèse, Albertine, Hosanna et compagnie de notre ami qui travaillait les mots comme Michel-Ange le marbre, à grands coups sûrs et formidablement percutants. (Du moins, c'est ce qui nous semblait à nous, pauvres innocents !)

Michel écrivait sans rature, d'une large écriture déliée, comme s'il sténographiait à toute allure la parlure de l'ange ou du diable qui lui chuchotait au creux de l'oreille. Il était, où qu'il se trouve, continuellement à portée de voix des siens. Ses grands petits personnages cherchaient tant à venir au monde, comme du vrai monde ?, qu'ils hurlaient à l'oreille de l'écrivain, avec l'infaillibilité de la rage ou du désir, leur effrayant besoin de commencer à vivre.

La veille de ce fameux soir où la larve était apparue dans l'assiette d'Aline, j'avais fait lecture à Michel de ce qui devait être la première page de ma délirante comédie humaine. Il m'avait écouté en affichant ce masque admirable qu'il adoptait pour entendre ce qui jaillissait de l'autre, qu'il aimait, qui était troublé et qui se livrait enfin. Et il avait dit, l'œil mouillé, la voix tendrement grave :

— C'est beau !

Et rien d'autre. Inexplicablement, je me sus convié sur-le-champ à de grandes espérances en même temps qu'à de très gros tourments. Je refermai d'un geste alangui de futur Victor Hugo, d'éventuel Tennessee Williams, peut-être d'improbable Michel Tremblay, mon cahier où une page, une seule, mais toute une page était déjà tracée de l'œuvre confidentielle et embrouillée qui voulait naître par mes doigts. Et je m'en fus marcher sur un chemin de sable, si pareil au sentier derrière mon village où j'allais exprimer aux écureuils et aux bouleaux mes très approximatives espérances et mes dégoûts très précis, que je versai trois pauvres larmes tièdes, qu'aussitôt j'entendis Michel, dans le creux de mon oreille, comparer à d'extravagants et superflus pleurs de crocodile.

Car il savait se montrer tendrement et drôlement impitoyable, l'écrivain-né, dès qu'un soupçon de cette complaisance de diva-éplorée-qui-sait-même-pas-chanter-juste pointait le commencement du bout de son nez.

C'est alors qu'est survenue la larve sur la feuille de salade. Une salade grecque, bien sûr, avec trois maigres feuilles de laitue, des olives, du fromage feta, abondance d'huile, comme de raison, et, horreur !, une dégoûtante larve, qui était appelée, peut-être, à devenir une splendide libellule grecque et qui fit pousser à Aline une tragique criaillerie de dégoûtation qui s'en alla résonner contre les murs blancs du petit hôtel, comme l'écho de la plainte d'Iphigénie contre la falaise de l'Aulis. Instantanément, je sus que le grand œuvre attendrait. Qu'il y avait, en moi, infiniment trop d'effroi et d'incertitudes, de torpeur et de dégoût, de honte et d'équivoque. Que je n'étais pas prêt. Qu'il me fallait vivre encore — bien que je ne m'expliquais pas à moi-même ce que j'entendais au juste par là. Que j'étais trop fragile, que j'étais déjà à bout de souffle d'avoir traversé une enfance magique et une adolescence effrayante, le cœur dans la gorge et la tête pleine de toutes ces « affaires » qui empêchaient la « Manon » de Michel d'être « heureuse dans vie ». Que j'étais venu au monde par la porte d'en arrière et voulais sortir par la porte d'en avant, mais que je n'arrivais pas à m'en approcher, avançant dans le couloir sombre de cette maison qui était la mienne et que je connaissais si mal, comme si je marchais dans l'eau épaisse d'un songe. Qu'il y avait la mer, les chemins bordés d'eucalyptus géants, qui embaumaient l'air des îles grecques comme les pins parfumaient les chemins de chez nous. Que je devais m'ébattre, me battre, céder, me reprendre, m'enthousiasmer, me désespérer, avant de vraiment commencer. Que je n'avais pas vu Rhodes encore, ni Santorin, que le vaste monde m'attendait, et qu'il était trop tôt pour m'enfermer dans une chambre, même fraîche, même ensoleillée, et me prendre la tête dans les mains, au-dessus d'une page qui m'attendait sans m'espérer. Que j'étais insolemment jeune, bien que sans innocence, et qu'il me fallait, avant d'écrire, accoucher d'un moi-même vigoureux, délesté de toutes ces équivoques qui m'arrachaient ce que Michel appelait des-soupirs-d'enfant-gâté-qui-se-plaint-le-ventre-plein. Et il avait raison, l'écrivain-né : j'étais cet enfant gâté aux yeux plus grands que la panse — une panse bien mal gavée — cet incertain au ventre plein de désirs et d'effrois, à qui une pauvre petite larve apparue dans une assiette — à lui qui avait tâté, humé, fourré au fond de sa poche d'écolier buissonnier des bestioles autrement plus dégoûtantes — venait de révéler l'ajournement d'une vocation, pourtant ardemment convoitée.

Je ne marmonnai rien de ma brusque, de ma honteuse, de mon incompréhensible volte-face à Michel, qui se douta de tout et ne dit rien, lui non plus.

Le lendemain, Aline partit de son côté, et nous du nôtre. Nous accostâmes à Rhodes, qui est un paradis, où nous eûmes de grandes joies, tragiques, folles, buissonnières, montés, l'un et l'autre, sur nos deux mobylettes capricieuses que Michel, écœuré de l'agneau trop salé et dur comme de la semelle de botte qu'on nous servait partout, avait comiquement baptisées Côtelette et Amourette Daigneault. Ces machines-là tombaient en panne trois fois par jour, nous obligeant à gagner l'accotement de la route, où nous couchions Amourette et Côtelette sur le sable pour aviser la mer, les rochers, les petites villas et le soleil sur tout ça, avec une insouciance heureuse de collégiens en excursion. Tout nous faisait rire et sourire et doucement délirer.

Je vivais. J'étais vibrant, indolent, je paressais, je n'attendais plus rien. Je sortais du piège où j'étais resté trop longtemps à perdre mon précieux sang et mon non moins précieux temps. Et nous étions heureux, ensemble et en même temps, ce qui est un cadeau bien rare, de ceux que chichement vous accorde la vie, entre deux méchants coups de vent.

Et, deux heures par jour, à l'ombre ou au gros soleil, appuyé au rocher de la plage, ou assis sous un parasol sur la petite terrasse dominant la mer d'Ulysse, de Cassandre, d'Électre, de Henry Miller, de Cacoyannis, de Lawrence Durrell, Michel écrivait, comme coule la source. Alors, bien sûr, je repensais à la larve dans la salade, au cri d'Aline et à cet ahurissant contrat que j'avais naïvement, et pour ainsi dire involontairement, passé avec moi-même, et qui m'engageait à vivre, à endurer et à attendre ce « rendez-vous quelque part dans le temps qui, si je le voulais, un soir pourrait m'être rendu », comme disait la chanson. Mon heure viendrait. Aussi infailliblement que tombait en panne Côtelette ou Amourette, sur les chemins de Rhodes, j'allais écrire. Michel le savait et il attendait, tendrement, impitoyablement, gentiment, avec moi. Michel savait, et depuis belle lurette, que s'il y avait beaucoup à gagner à écrire, il y avait infiniment à perdre, et qu'il y avait, dans cette vie de contrefaiseur, beaucoup plus redoutable qu'une petite larve insignifiante, à moitié morte, sur une feuille de salade. Il savait surtout que rien, peut-être, ne serait plus jamais aussi beau, aussi grand, que le ciel de la Grèce, cet été-là.

Notice bibliographique

Toine et Fred

Citations de Jean Giono :

« Le sang est le plus beau théâtre. »

« Le feu est toujours pareil, une fois allumé. Parce qu'il éclaire. Voilà la triste vérité. Qu'est-ce qu'il y a dans l'homme ? Il y a la tête et il y a le corps. Et qu'est-ce qui réjouit le corps ? C'est l'amitié. »

« Il était ivre d'être apaisé par la gloire d'un autre corps que le sien. »

Deux cavaliers de l'orage, Éditions Gallimard

Nous nous aimons l'après midi

Citation de Flannery O'Connor :

« Un diable qu'on finit par connaître est un bon diable. »

Good Country People (traduction de Robert Lalonde)

Tigre, ou comment l'amour ne vient jamais trop tard

Citations de Colette :

« La mort ne m'intéresse pas. »

« Je n'ai plus envie de me marier avec personne, mais je rêve encore que j'épouse un grand chat. »

« Le désarroi n'est pas de la timidité. C'est au contraire une sorte de sans-gêne, de plaisir à se vautrer. »

La Naissance du jour

« [...] le cheveu bleuté comme un plumage de merle, la poitrine bombée en bouclier, les cils brillants, comme mouillés, rabattus sur la joue, qui porte trace d'une fatigue sans bonheur. »

Chéri

L'Amour est une région bien intéressante

Les citations de Tchekhov sont tirées de sa correspondance avec sa femme, l'actrice Olga Knipper.

À distance respectueuse

Les citations de Francis Scott Fitzgerald sont tirées de la correspondance de ce dernier avec sa femme, Zelda Fitzgerald.

La boîte vide

Citations de Gabriel García Márquez :

« [...] persuadé de son devenir de fantôme. »

« Quelque chose d'infini arrivait à sa fin. »

« [...] la recherche de lieux perdus était entravée par la routine et les habitudes qui font qu'on a tant de mal à les reconnaître. »

Cent ans de solitude

Une ruse

Citations de Guy de Maupassant :

« Le cœur a des mystères qu'aucun raisonnement ne pénètre. »

« Peut-on, malgré la vigueur acharnée du sort, ne pas espérer toujours quand il fait beau ? »

« Son âme tout à coup s'élargissait et comprenait des choses invisibles. »

Une vie

« Tout de même un beau travail logique, serré, frugal, sans complaisance. »

Au sujet d'*Une vie*, lettre de Maupassant à Flaubert

La lettre de Flaubert est tirée de la correspondance Flaubert-Maupassant.

La chaleur du réel

Citations de Gabrielle Roy :

« Cette indifférence à notre égard de notre propre pensée. »

« Cette révélation si simple, si naturelle, si grande pourtant, qu'on ne sait trop qu'en dire, sinon "Ah, c'est donc cela !" »

« Telle personne qui peut passer pour avoir tout, comme on dit, pour être heureuse, peut être déchirée au-delà de tout ce qu'on peut imaginer. Et telle autre dont la vie a l'air bien pénible n'est peut-être pas aussi malchanceuse qu'on pourrait le croire. »

« J'en sais quelque chose, en dépit des honneurs, qui sont d'ailleurs comme une sorte d'enterrement, et plutôt tristes, quand ils coïncident avec moins de lecteurs… On dirait bien que ma gloire ne s'attache qu'à ce que j'ai été. »

« J'ai reçu le bizarre commandement de dire adieu aux lieux et aux choses. »

« C'est à l'intensité d'amour qu'elle a pu inspirer aux autres qu'une vie, en fin de compte, se révèle une réussite. »

Ma chère petite sœur

Une histoire vraie

Citation de Michel Tremblay :

« Chu venu au monde par la porte d'en arrière mais m'a donc sortir par la porte d'en avant. »

Les Belles-Sœurs

Table des matières